DEZ ANOS QUE ABALARAM O BRASIL

E O FUTURO?

JOÃO SICSÚ

DEZ ANOS QUE ABALARAM O BRASIL

E O FUTURO?

OS RESULTADOS, AS DIFICULDADES E OS DESAFIOS
DOS GOVERNOS DE LULA E DILMA

GERAÇÃO

1ª edição – Julho de 2013

Grafia atualizada segundo o Acordo Ortográfico da Língua Portuguesa
de 1990, que entrou em vigor no Brasil em 2009

Editor e Publisher
Luiz Fernando Emediato

Diretora Editorial
Fernanda Emediato

Editor
Paulo Schmidt

Produtora Editorial e Gráfica
Erika Neves

Capa, Projeto Gráfico e Diagramação
Alan Maia

Revisão
Rinaldo Milesi

DADOS INTERNACIONAIS DE CATALOGAÇÃO NA PUBLICAÇÃO (CIP)
(Câmara Brasileira do Livro, SP, Brasil)

Sicsú, João
Dez anos que abalaram o Brasil. E o futuro? / João Sicsu. --
1. ed. -- São Paulo : Geração Editorial, 2013.

ISBN 978-85-8130-194-5

1. Brasil - Condições econômicas 2. Brasil -
Política e governo história 3. Brasil - Vida social e costumes
- Século 21 4. Brasil - Condições sociais 5. Entrevistas - Brasil
I. Título.

13-07074 CDD: 320.98106

Índices para catálogo sistemático

1. Brasil : Política e governo : História 320.98106

GERAÇÃO EDITORIAL

Rua Gomes Freire, 225 – Lapa
CEP: 05075-010 – São Paulo – SP
Telefax.: (+ 55 11) 3256-4444
Email: geracaoeditorial@geracaoeditorial.com.br
www.geracaoeditorial.com.br
twitter: @geracaobooks

Impresso no Brasil
Printed in Brazil

Para Christiana Sicsú

Para Fernanda Lencastre

SUMÁRIO

APRESENTAÇÃO

Considero os partidos políticos, as organizações, as entidades sindicais e estudantis essenciais para a democracia. Penso que a política é o único caminho pacífico de mudanças. Muitos políticos têm uma atuação muito positiva. Sou um admirador da boa política e da boa luta de ideias. Sou amante da democracia e do bem-estar para todos. Sou um desenvolvimentista, keynesiano e de esquerda.

Decidi escrever este livro como um ato de rebeldia contra a elite conservadora brasileira. Os conservadores querem apagar da história brasileira o decênio 2003-2012. Aliás, sempre reescreveram a história para contá-la da forma que melhor atendia aos seus interesses.

Apresento análises, números e estatísticas para mostrar a significativa transformação econômica e social ocorrida nos últimos dez anos. O Brasil mudou muito e mudou para melhor.

Apesar de conter gráficos e tabelas, o livro não foi escrito em economês, uma linguagem árida. Foi escrito numa linguagem para todos que são capazes de ler um jornal. O livro é um ensaio.

Uma última observação: por vezes, há frases e ideias repetidas ao longo do livro. É o vício do professor de repetir, repetir e repetir o que considero importante. O livro foi escrito na forma de palestra/aula com repetições propositais do que merece ser enfatizado. Tentei ser didático.

O Autor

PREFÁCIO

Maria Inês Nassif

Quando a versão é vendida como fato, é hora de lembrar o fato

Em alguns momentos na vida de uma sociedade, os fatos apenas se sucedem. As intenções, as consequências, os compromissos, todos eles parecem apenas peças de uma realidade que avança nos dias, mas não muda seus contornos. A mobilidade social é tão lenta e os compromissos com o *status quo* são tantos que a história parece ser apenas uma tela de cinema. Muda a imagem, mas são as mesmas pessoas que cabem na plateia. Muda o filme e o enredo das histórias, mas os protagonistas são os mesmos.

Há momentos na vida de uma sociedade que a história aparece, acelerada, à sua frente. A história em estado puro se move, mudando a vida das pessoas de forma inexorável. É quando entram no enredo novos e muitos atores sociais. É quando muita gente se incorpora à política ou à vida econômica, ou a ambas; é quando muitas vidas sentem que mudaram para melhor o futuro de um país.

Para a geração que viveu a ditadura, dois momentos foram marcantes. O primeiro foi quando o regime militar se esvaiu e muita gente se incorporou à luta contra o regime — pessoas com ideologias diferentes, que defendiam estratégias de luta diferentes, mas que convergiam para a convicção de que a democracia era um bem fundamental, pelo qual valia a pena que todos lutassem.

O segundo momento foi a década pós-neoliberal, designação dada por Emir Sader aos anos de governos progressistas, que tiveram o PT na Presidência e foram apoiados por forças de esquerda — a expressão deu nome a um livro por ele organizado, que faz um balanço do período[i]. Com todos os problemas a que uma grande coalizão remete — uma aliança que, para obter apoio parlamentar, carrega junto uma pesada carga do passado conservador do país — o Brasil viveu dez anos com a sensação intensa de que estava escrevendo uma parte muito importante de sua história.

A primeira década sob os governos de Luiz Inácio Lula da Silva e Dilma Rousseff (2003-2012) — esta, no momento da edição deste livro, no terceiro ano de seu governo — foi de grande mudança. A mobilidade social foi grande, a incorporação de brasileiros às condições plenas de cidadania foi massiva e o país tem construído condições para construir um futuro diferente.

É da intensidade histórica dos governos progressistas que fala o livro "Dez anos que abalaram o Brasil", de João

---

[i] Emir Sader (org.). *Dez anos de Governos Pós-Neoliberais: Lula e Dilma.* São Paulo/Rio de Janeiro: Boitempo/FLACSO, 2013.

Sicsú. É uma documentação que decorre quase de uma angústia: uma resposta a uma tentativa sistemática de desqualificação, por parte de uma oposição encabeçada pela mídia tradicional, a tudo que se refere a esses governos; uma tentativa de deixar registrado para os historiadores do futuro, que vão se remeter a esses jornais e televisões, uma documentação fiel ao que realmente aconteceu no período.

É uma documentação política, que aponta de onde vêm os interesses da desqualificação, os desafios futuros de um projeto que mudou a cara do Brasil e, fundamentalmente, assume que enxergar os avanços dos governos petistas é resistir. Faz parte da luta da esquerda no campo da hegemonia ideológica contrapor os avanços conseguidos nesta década à ideia disseminada pela mídia, por uma burocracia conservadora consolidada no corpo do Estado brasileiro, pelo neoliberalismo e, marginalmente, pelos partidos de oposição, de que essa década diminuiu o Brasil porque obrigou a elite a compartilhar um pouco os seus privilégios com os mais pobres. Ou que o Brasil seguiu a rota do atraso porque optou por assumir um modelo de desenvolvimento mais inclusivo, mais sustentável e menos sujeito aos humores do rentismo.

Os números são avassaladoramente favoráveis aos governos de Lula e Dilma e desfavoráveis aos governos anteriores, de cunho neoliberal. A tortura a que os submetem diariamente os meios de comunicação tradicionais tem intenção. É disso que trata Sicsú.

A contaminação da informação pela ideologia, nesse período, foi tamanha, que se corre o risco de, no futuro, tomada a versão pelo fato, forjar-se a ideia de que este foi um período atípico, onde governos ineptos e convicções políticas equivocadas produziram um período de mudanças nunca antes visto no país — mudanças que são sociais e econômicas, mas são também políticas. Quando, na verdade, os avanços foram obtidos fundamentalmente porque este foi um período em que a democracia foi vista em sua plenitude, como um reconhecimento de direitos políticos, sociais e econômicos. Não existe inépcia que produza essa façanha.

Sicsú chama esses dez anos de "tempos estranhos". E isso não se deve apenas à ação das forças conservadoras, mas também à dificuldade das esquerdas brasileiras no campo da luta pela hegemonia. Vencer essa dificuldade é um dos desafios que o autor coloca para o futuro, quase uma pré-condição para superar os demais: consolidar um projeto de desenvolvimento com inclusão social que não esteja sujeito aos recuos defendidos pelos setores conservadores, mas que avance na direção de uma sociedade que incorpore conhecimento e absorva a ideia de que está construindo uma Nação melhor, mais rica, mais humana e mais justa.

De fato, passados dez anos de governos progressistas, existe um entendimento cada vez mais consolidado nas forças que os apoiam de que o PT e seus aliados de esquerda têm obtido vasta maioria nas urnas, mas perderam feio na luta com as forças conservadoras pela hegemonia. Hoje, existe no Brasil uma situação quase esquizofrênica de separação entre voto e imagem, voto e opinião pública. As imensas massas da população que ascenderam à cidadania votaram em Lula e Dilma; ambos têm reconhecimento do eleitorado capaz de transferir votos para aliados nos Estados. Esse reconhecimento é maior, quanto mais pobre é a região ou o Estado do país — foram esses rincões em que mais pessoas foram tiradas da situação de extrema miséria.

A opinião pública forjada pelos meios de comunicação, todavia, foi tomada por uma ira antipetista. A aversão ao projeto de esquerda é produto de uma construção conservadora que toma contornos assustadores junto às elites e às classes médias mais endinheiradas.

Tomada a versão pelo fato, na disputa pela hegemonia, num ambiente onde a oposição detém o controle dos meios de comunicação, se sobrepõe a versão: o Bolsa Família, por exemplo, é traduzido como um mero artifício eleitoral. É negado ao programa a sua qualidade de política pública que teve o poder de tirar 40 milhões de pessoas da miséria em 10 anos. O fato de que esse dinheiro, junto com o aumento do crédito para as famílias, produziu um crescimento sustentado pelo consumo de quem antes não consumia foi subtraído do debate.

Para a opinião pública, publicada, amplificada nos meios de comunicação de propriedade altamente concentrada, o Bolsa Família comprou o voto. É o fato pela versão: o voto é, de fato, o reconhecimento da maioria dos eleitores de que a vida deles mudou por conta de um modelo de crescimento baseado no aumento do número de consumidores, do qual aquele programa é uma parte importante, mas apenas uma parte.

A prevalência da versão sobre o fato, no entanto, é o produto de um movimento dialético. Se as forças conservadoras conseguem consolidar com tanta competência uma ideologia de aversão ao pobre — que é antipetismo e é expressão do incômodo de dividir espaços públicos com trabalhadores que conseguiram, enfim, comprar uma passagem aérea ou entrar num shopping — é porque, do outro lado, existem forças progressistas que não têm aptidão para lutar uma boa luta no campo das ideias. As esquerdas conquistaram simpatias dos menos favorecidos no decorrer de dez anos de governos bem-sucedidos em políticas de distribuição de renda e riqueza, mas tem sido pouco eficiente em ganhar cabeças e corações.

Este é um dos muitos desafios que se coloca ao futuro. Sicsú aponta que, neste embate, nem governo, nem forças progressistas, conseguiram levar a termo uma discussão séria sobre a regulamentação da mídia. Tem sido engolida pelo discurso da mídia hegemônica, de que este simples debate é um atentado à liberdade de expressão.

As conquistas desses 10 anos são palpáveis. Estão aí, pujantes, neste livro: os gráficos projetam curvas tão visivelmente favoráveis aos governos da última década que saltam aos olhos. São quase uma fotografia. Quase que prescindem da leitura dos números. O desafio é não jogar a última década para os livros de história, mas consolidar cada uma das conquistas obtidas. A direita tem vergonha de ter trazido pobres para a cena política. A esquerda precisa assumir que não se envergonha de ter trazido os pobres a esta sessão de cinema, que tem tudo para exibir o melhor filme a que o Brasil assistiu até hoje em sua história.

CAPÍTULO 1

Analisando o retrovisor, mas de olho no futuro

2022

A sociedade brasileira tem motivos para comemorar os últimos dez anos. Ocorreram mudanças estruturais, sociais e econômicas. O Brasil de hoje está melhor do que o Brasil de anos atrás. O Partido dos Trabalhadores e seus aliados, que governaram o Brasil neste período, também podem comemorar, mas não podem relaxar e adormecer. Muitos dos desafios colocados pelos governos do PSDB (1995-2002) aos governos de Lula e Dilma (2003-2012) já foram superados. A novidade é que os desafios que os governos de Lula e Dilma colocaram aos futuros governos são muito maiores do que aqueles colocados pelo PSDB ao PT há dez anos. A tarefa de governantes para os próximos dez anos será muito mais difícil.

O isolamento das ideias neoliberais

A concepção do Estado mínimo e do governo privatizador difundida pelo PSDB nos anos 1990 foi superada. A visão do Estado mínimo está isolada. Vez por outra, seus representantes, os neoliberais, tentam emplacar aqui ou acolá um argumento ou um cargo no governo. Não têm obtido êxito no embate político-eleitoral. Suas vozes são dominantes somente em veículos de comunicação que influenciam pequenos grupos de ricos e parcelas das classes médias.

A comunicação feita através dos veículos tradicionais (canais da TV aberta, jornais diários, rádios e revistas semanais) é muito concentrada. São meia dúzia de famílias as proprietárias de quase todo o setor de comunicação. Os barões da comunicação pautam a atuação política do PSDB e seus aliados, que sobrevivem na oposição. As ideias neoliberais do Estado mínimo difundidas pelos barões da comunicação não penetram nas classes de renda baixa nem entre os trabalhadores mais rudes. Muito pelo contrário, o povo reclama a presença do Estado.

A mídia dos barões, no *front* oposicionista, emite sinais contraditórios ao povão. Se por um lado fazem campanha pelo corte de gastos governamentais, por outro, mostram, por exemplo, as debilidades do serviço público de saúde. Se por um lado, fazem campanha por juros maiores, o que eleva as despesas públicas, por outro, revelam que precisamos de mais investimentos governamentais em infraestrutura. O saldo final é que o povão deseja mais Estado — e não o neoliberalismo do salve-se quem puder. Desejam o Estado na forma de serviços, benefícios e equipamentos que possam propiciar bem-estar.

O PSDB tenta apagar a imagem de partido privatizador, mas não é bem-sucedido. Claramente a favor das privatizações do patrimônio público, Geraldo Alckmin, o candidato à presidência pelo PSDB em 2006, desfilou com uma jaqueta bege com logomarcas das estatais brasileiras que os governos do PSDB tiveram a intenção de privatizar. Vestiu a jaqueta como um ato de defesa das estatais brasileiras. Na sua jaqueta estavam impressas as logomarcas do Banco do Brasil, Caixa, Petrobras e Correios. Mas, tudo aquilo soava falso.

O humorista Zé Simão apelidou o candidato Alckmin de "picolé de chuchu" para enfatizar o que Geraldo representava. Picolé de chuchu seria sinônimo de algo sem gosto, inodoro, insosso: candidato sem fibra. Contudo, Alckmin, durante a campanha de 2006, reagiu ao apelido e tentou fazer graça, disse que no seu governo: "*o Brasil vai crescer pra chuchu. Vamos ter emprego pra chuchu. Vai ser um governo que é um chuchuzinho*".

Alckmin conseguiu a proeza de ter menos votos no segundo turno do que teve no primeiro. No segundo turno obteve 37,5 milhões votos. Perdera mais de 2 milhões de votos entre um turno e outro. No primeiro turno, Alckmin havia tido 39,9 milhões de votos. O presidente Lula venceu a eleição com 58,3 milhões de votos. Em termos percentuais, Lula obteve 60,8% contra 39,2% de Alckmin.

Em 2003, entretanto, quando o PT e seus aliados chegaram ao governo federal pela primeira vez, o cerco ideológico neoliberal era forte e contaminava. E contaminou. Contudo, as necessidades reais e os desafios quotidianos foram solidificando a cada dia uma posição mais republicana e estatal no interior dos governos Lula e Dilma. Por exemplo, a crise financeira internacional de 2008-9 foi enfrentada com um receituário organizado pelo governo e a favor de toda a sociedade. Mais: no início de 2013, concessões do setor elétrico foram renovadas em um processo dirigido pelo governo e onde todos ganharam com uma significativa redução de tarifas. Exemplos não faltam.

Excetuando personalidades tais como Mario Covas e L.C. Bresser Pereira, que acreditavam de fato nas ideias da social-democracia, o PSDB e seus governos representaram de forma bastante genuína a visão neoliberal do Estado mínimo. Sonhavam em privatizar a Petrobras. Tentaram desmoralizar a empresa e trocar o seu nome para Petrobrax, para que pudesse ser vendida no mercado internacional. Além da Petrobras, objetivavam privatizar os bancos públicos. Em 1999, o Ministro Pedro Malan informou, em documento oficial do governo brasileiro dirigido ao FMI (disponível no site do Ministério da Fazenda), que:

> "*... o Governo solicitou à comissão de alto nível encarregada do exame dos ... bancos federais (Banco do Brasil, Caixa, BNDES ...) a apresentação ... de recomendações sobre ... possíveis alienações de participações nessas instituições, fusões, vendas de componentes estratégicos ou transformação em agências de desenvolvimento ou bancos de segunda linha*".

Houve muita resistência às privatizações promovidas pelos governos do PSDB. Principalmente o PT, o PC do B e o PDT, ao lado do movimento sindical e social, saíram parcialmente vitoriosos ao não permitirem a venda de todas as estatais que iriam para a prateleira de privatizações do PSDB.

Foram exatamente a Caixa, o Banco do Brasil e o BNDES que, durante a crise financeira internacional de 2008-9, impediram que houvesse um colapso da economia brasileira. Ofertaram crédito no momento em que o sistema financeiro privado reduziu a oferta de empréstimos e elevou as taxas de juros. Diante daquela situação, ficou comprovada a óbvia importância das lutas contra as privatizações dos governos do PSDB.

O público e o privado no pós-neoliberalismo

Os governos do PT e de seus aliados fizeram concessões, que é uma forma de "privatização" da gestão de empresas estatais por tempo limitado. Não houve venda dos ativos das empresas. As concessões foram feitas em alguns setores específicos. Mas não foram feitas concessões em setores estratégicos. É isso que importa. O neoliberalismo dirigido pelo PSDB propõe privatizar e fazer concessões em posições estratégicas para que o Estado perca a sua capacidade de organizar o mercado e a sociedade. Desejam um Estado mínimo que abandone os indivíduos na arena da competição, o mercado. Os fortes vencerão e se tornarão ricos. Os demais se transformarão em estatísticas de maus exemplos.

A relação entre setor privado e setor público é decisiva em uma economia de mercado. Nenhum Estado de país com economia de mercado pode prescindir do setor privado — e a recíproca é verdadeira. Portanto, independentemente da forma jurídica adotada, a relação sadia público-privada deve ser estimulada. O que importa, de fato, é que o Estado mantenha posições em setores estratégicos (energia e sistema financeiro, por exemplo). Nos demais setores, o resultado da relação público-privada deve ser aquele em que a contabilidade monetária e social seja favorável aos usuários mais necessitados dos serviços.

Ademais, os neoliberais do PSDB são, por razões óbvias, contra a construção de novas universidade públicas, contra a realização de concursos públicos para a contratação de servidores, abandonaram a ampliação da rede de Centros Federais de Tecnologia (os CEFET's) e jamais pensaram numa política habitacional capaz subsidiar o esforço dos mais necessitados que precisam de uma casa para morar.

Os governos do PSDB não construíram nenhuma universidade pública e nenhum CEFET. Tornaram os concursos públicos escassos. Nos governos do PT e de seus aliados, mais de uma dezena de universidades públicas foram implantadas. Professores prestaram concursos e milhares se tornaram servidores públicos federais.

	2002	2011
Universidades Federais	**43**	**59**
Professores no ensino superior – servidores federais	**48.866**	**79.165**

Fonte: Censo 2011 da Educação Superior/INEP.

Além disso, nos governos de Lula e Dilma, o Programa Minha Casa, Minha Vida (MCMV), lançado em 2009, entregou 1.418.743 unidades habitacionais até abril de 2013. Este Programa representou também uma vitória em relação ao preconceito econômico e ideológico contra o pobre — que, na visão neoliberal, jamais deveria receber ajuda do governo na forma de subsídios. Deveria trabalhar, se esforçar para ganhar mais e comprar a sua casa no mercado imobiliário.

No MCMV, pobres recebem subsídios para viver, para ter onde morar. Não há escolha: subsidiamos ou criaremos favelas, já que as pessoas precisam de um teto para habitar. Quando ricos recebem subsídios para enriquecer, isto não é criticado pelos neoliberais. Ricos auferem subsídios, por exemplo, quando recebem juros elevados porque possuem títulos da dívida pública. Para os neoliberais, este tipo de subsídio para rico é considerado dívida contratual. Em oposição, no MCMV, subsídio para pobre é, então, dívida social.

Os primeiros passos do desenvolvimento

Nesses dez anos, a trajetória concentradora de renda foi revertida. Todos os índices que medem o grau de distribuição da renda entraram em trajetória benigna para os trabalhadores. Hoje, a participação das rendas do trabalho como proporção do Produto interno Bruto (PIB) é maior que a do capital. Dez anos atrás, as rendas do capital ocupavam a maior parcela.

Atualmente, o salário mínimo possui uma regra que garante a manutenção do seu poder de compra ao longo do tempo. E se houver crescimento econômico haverá valorização real do mínimo. Esta regra foi elaborada durante o governo do presidente Lula e foi aprovada no Senado no início do governo da presidente Dilma. A elaboração e aprovação desta regra foi o resultado de pressões dos movimentos sindicais, principalmente das centrais sindicais. Não foi um presente governamental — ou de parlamentares — aos trabalhadores brasileiros.

O salário mínimo que era rotulado apenas como um custo empresarial durante os governos do PSDB foi encarado como elemento de melhoria de vida do trabalhador, de forma coerente com a história e o código genético do PT e de alguns de seus aliados. A teoria dos tempos neoliberais do PSDB de que aumentos do salário mínimo poderiam provocar mais informalidade no mercado de trabalho foi colocada à prova nos últimos dez anos. Estava errada. Houve um aumento acentuado do salário mínimo, que foi acompanhado de uma redução da informalidade do mercado de trabalho. Aconteceu exatamente o oposto da previsão do PSDB: milhões de empregos formais foram criados nos governos Lula e Dilma. E, hoje, diferentemente do passado, a maioria dos trabalhadores possui relações formais de trabalho.

No período em que as ideias neoliberais estavam no seu auge, alardeava-se que os empregos formais não cresciam porque a formalização era muito custosa para os empresários. Propagandeavam que uma reforma que subtraísse direitos trabalhistas seria a grande solução: com custos menores as empresas poderiam contratar trabalhadores formalizados!

Essa crença neoliberal, tal como todas as demais, também estava equivocada. Quando há crescimento econômico, o emprego com carteira assinada cresce e muito. Não havia crescimento de empregos formais no período dos governos do PSDB porque a economia estava "parada". O baixo crescimento econômico era a causa que explicava aquela medíocre geração de empregos formais.

O crescimento econômico durante o período que o PSDB governou o Brasil foi muito fraco. A economia não tinha estímulos para crescer. O salário mínimo se recuperava de forma vagarosa (e sempre envergonhada). O crédito era restrito. O investimento público não era considerado uma via legítima e as estatais, que restaram após as privatizações, estavam enfraquecidas.

A superação da paralisia

No primeiro mandato do Presidente Lula, a economia começou a se recuperar. Contudo, os primeiros impulsos não vieram das políticas macroeconômicas: redução de juros e aumento do investimento público. O crescimento de 2003-2006 decorreu da política de valorização do salário mínimo e da ampliação do crédito para as famílias e as empresas. No segundo mandato do Presidente Lula (2007-2010), o consumo e os investimentos público e privado foram os principais fatores que consolidaram a trajetória de crescimento.

A Petrobras, por exemplo, quintuplicou os seus investimentos em relação ao que fazia nos anos de governos do PSDB. A Petrobras, hoje, é um exemplo de empresa que desenvolve tecnologia nacional avançada. A descoberta de petróleo nas camadas de pré-sal encheu o Brasil de esperanças e possibilidades. A descoberta do petróleo nessas camadas não foi apenas sorte do presidente Lula, foi também virtude decorrente do investimento em pesquisa que foi realizado.

Investimento total Petrobras

(US$ bilhões)

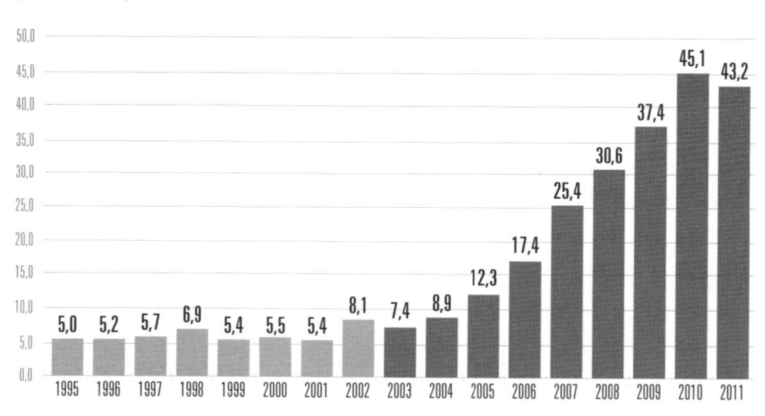

Fonte: Central de Resultados Petrobras.

No seu primeiro biênio de governo, a presidente Dilma enfrentou problemas. No primeiro ano, foi percebido que, de fato, existiam gargalos na infraestrutura que dificultariam a manutenção de altas taxas de crescimento. O governo decidiu desacelerar a economia para ganhar tempo e investir em infraestrutura. Foi uma experiência inédita para o PT e seus aliados: reduzir o ritmo de crescimento da economia. Jamais o PT havia pensado que o seu governo poderia fazer uma desaceleração econômica. Mas a desaceleração era necessária. Contudo, a dose de contração não foi bem calibrada: a economia saiu de um ritmo muito bom de crescimento para um desempenho modesto. Foi uma queda muito acentuada.

Ademais, a crise europeia contaminou o cenário internacional gerando no Brasil, em menor grau, e no mundo, de forma mais intensa, expectativas empresariais de apreensão e receio em relação ao futuro. No ano de 2012, o governo e empresários não realizaram planos de investimentos que garantiriam um crescimento aceitável.

Apesar do modesto crescimento durante o primeiro biênio do mandato da presidente Dilma, a taxa de desemprego se manteve baixa. Em alguns segmentos, há falta de profissionais. Por exemplo, uma parte significativa de engenheiros formados nos anos 1990, montava quiosque na beira-mar para sobreviver. Outra parte foi trabalhar em bancos que estavam inchados em consequência da forte atuação dessas instituições nos mercados especulativos financeiros. Hoje, a profissão de engenheiro foi revalorizada graças à retomada das atividades da indústria da construção civil no país.

Em dez anos, os presidentes Lula e Dilma aplicaram políticas econômicas e sociais que reduziram drasticamente a taxa de desemprego. Lula recebeu uma economia com uma taxa de desemprego semelhante à taxa que vigora na Europa em crise. Nos dias de hoje, a taxa de desemprego é menos da metade do que era nos tempos do PSDB. O número de benefícios concedidos pelo Programa Bolsa Família reflete a situação positiva do mercado de trabalho brasileiro. Entre 2011 e 2013, mais de um milhão e meio de beneficiários desistiu do Programa porque conseguiu um posto de trabalho. Uma dupla vitória: da política econômica e da política social.

Trabalhadores empregados e formalizados ganharam o passaporte para o sistema financeiro. Com o crescimento econômico, microempresas, empresas de porte médio e grandes empresas também foram ao mercado de crédito. O volume de crédito mais que dobrou nos últimos dez anos. O empréstimo bancário deixou de ser um privilégio das classes de rendas mais elevadas e das grandes empresas.

Não há problema algum no endividamento familiar. A estabilidade do mercado de trabalho é a garantia de pagamento das parcelas. A inadimplência de trabalhadores e empresários junto ao sistema financeiro depende da saúde da economia. E o Banco Central e os bancos públicos (principalmente a Caixa e o Banco do Brasil) iniciaram um processo de redução das taxas de juros cobradas nos empréstimos. Os bancos privados acompanharam o movimento. Juros mais baixos aliviam trabalhadores e empresários que precisam se endividar.

Crédito total do Sistema Financeiro (% PIB)

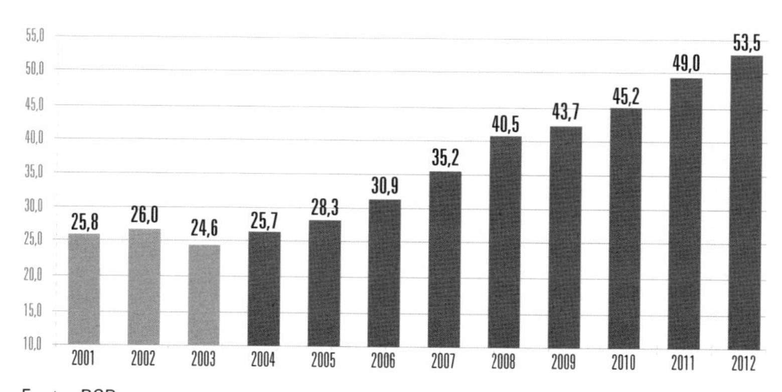

Fonte: BCB.

Taxa de Juros Capital de Giro (Média dezembro a.a.%)

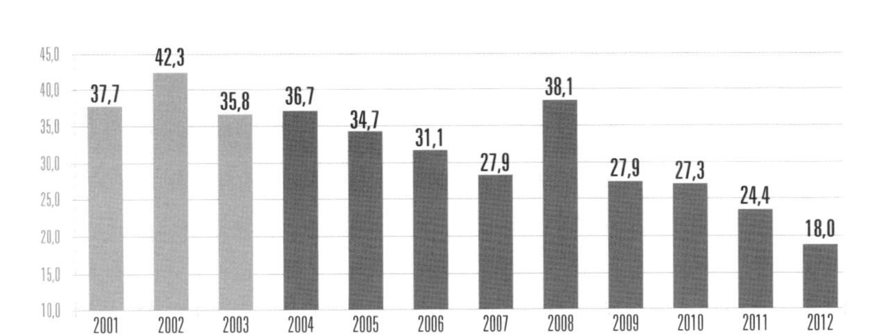

Fonte: BCB.

Os diversos vetores positivos da economia formaram as bases para a constituição de um grande mercado de consumo de massas. O volume de vendas do mercado varejista dobrou de tamanho durante os governos do PT e de seus aliados. Milhões de brasileiros que eram quase que excluídos dos mercados de bens e serviços se transformaram em consumidores. Foi a formação desse mercado que possibilitou ao Brasil sair apenas com pequenos arranhões da crise de 2008-9. Houve estímulo ao consumo interno, que reagiu de forma positiva.

Muitos brasileiros compraram seu primeiro carro zero quilômetro. Nos últimos anos, a produção de automóveis aumentou extraordinariamente. Em 2003, foram produzidos 1,7 milhão de automóveis, veículos leves, ônibus e caminhões; em 2011, este número subiu para 3,4 milhões. A cadeia automobilística gera milhares de empregos. Portanto, é economicamente importante, mas seu crescimento tem transformado as grandes cidades em espaços caóticos.

Infelizmente, o emprego de milhares de trabalhadores depende da geração de engarrafamentos e de mais poluição do ar e sonora. A alternativa de estimular a economia por intermédio da produção e venda de automóveis seduziu o governo. É compreensível, a indústria automobilística oferece resultados rápidos e volumosos. Praticamente, consolidamos um modelo de *cidades para os carros*, que é insustentável. O modelo atual deve ser substituído pelo modelo de *cidades para os cidadãos.*

Nesses dez anos, houve também redução das desigualdades regionais. As regiões Norte e Nordeste mudaram para melhor numa velocidade muito superior à velocidade de outras regiões. No período que vai de 2003 a 2010, o Nordeste cresceu 5%, em média, por ano, e o Norte, 5,6%. No mesmo período, a região Sudeste cresceu 4,5% ao ano. Estados como Rondônia, Acre e Tocantins tiveram crescimento quase chinês durante os oito anos de governo Lula. Cresceram em torno de 7% ao ano. O Brasil, nesse período, cresceu em média 4,1% ao ano.

A nova pauta dos trabalhadores

Foram muitas realizações durante os dez anos de governos do PT e de seus aliados. O Brasil deu os primeiros e mais importantes passos rumo ao desenvolvimento. Mas, agora, é preciso muito mais. É isso o que os milhões de trabalhadores e pequenos empreendedores almejam. Eles já foram incluídos nos mercados de bens e serviços. O que desejam a partir de agora é o bem-estar.

Além do emprego e da renda, o que milhões de brasileiros desejam é saúde pública de qualidade, educação formal gratuita de qualidade, transporte barato e eficiente, iluminação nas ruas, coleta de lixo, varrição, saneamento, segurança pública, acesso à água potável etc. Esse é o desafio dos próximos dez anos: socializar o bem-estar, o bem-viver.

Sendo assim, os próximos governos precisarão aumentar a taxa de investimento público, estimular inovações e promover a geração de tecnologia. Um ambiente urbano e rural organizado atrai o investimento privado que é essencial para que o desemprego seja mantido em patamares reduzidos. No século 21, a organização das cidades e do campo e a socialização da oferta de equipamentos e serviços públicos dependem, de forma essencial, da utilização de tecnologia. Certamente, precisamos de mais médicos, policiais, fiscais, gestores públicos, mas precisaremos também incorporar tecnologia nas atividades do Estado brasileiro para que com uma maior produtividade todos possam ser atendidos por serviços que promovam o bem-estar.

Uma debilidade

O PT e seus aliados já mostraram a sua excelente força eleitoral e a sua boa capacidade de governar, mas ainda não possuem instrumentos e expertise para fazer algo que se torna cada dia mais importante: disputar e ser vitorioso em guerras de ideias e ideais. O PT e seus aliados não foram capazes ainda de construir instrumentos capazes de disputar a hegemonia de ideias na sociedade. Essa talvez seja a sua maior debilidade — e um dos seus desafios.

Embora vença as eleições pela boa disputa que sabem fazer, o PT, seus aliados e seus governos são atacados todos os dias pelos veículos de comunicação dos barões. Os jornais dos barões são produzidos para uma pequena parcela da população e buscam pautar as ações do governo. Dizem o que o governo deve fazer, o que não deve fazer, quem deve falar, quem deve ficar calado. Um desavisado que lê um dos jornais dos barões concluirá que o Brasil está em crise e que a vida da população piora a cada dia que passa. Os jornais dos barões são usinas de notícias negativas. São veículos militantes diários da oposição e se consideram os donos do saber e da verdade.

O governo fortalece a concentração da mídia nas mãos dos barões ao fazer a sua publicidade e das estatais orientada unicamente pela audiência dos veículos de comunicação. Quem tem mais audiência recebe mais publicidade e mais recursos. A audiência deve ser um critério, mas não pode ser o único. Se assim continuar sendo, os maiores tenderão a crescer e os menores permanecerão pequenos. A Globo recebeu, em 2012, praticamente 50% dos valores de publicidade pública quando são considerados somente os canais abertos de televisão, o que equivale a R$ 495,3 milhões. Os canais da TV fechada, em conjunto, receberam R$ 112,9 milhões, em 2012. Considerando ainda que a Globo é dona de muitos canais da TV fechada, ela recebeu do governo mais que meio bilhão de reais (!!!) no ano de 2012. Neoliberais não consideram subsídios esses volumosos recursos. Consideram apenas que são recompensas pela competência.

Emissoras de Televisão	Audiência (em %)	Valores da publicidade (em %)	Valores da publicidade em 2012 (em milhões de R$)
Globo	43,7	44	495,3
Record	14,3	15,5	174,4
SBT	12,2	13,6	153,6
Band	5,4	8,9	100,5
Rede TV	1,7	3,5	39,8
Demais Emissoras	22,8	4,4	49,6
TV´s fechadas		10	112,9

Fonte: http://www.observatoriodaimprensa.com.br/news/view/transparencia_e_a_desconcentracao_na_publicidade_do_governo_federal.

Comandados pelo FMI

A derrubada da inflação, em 1994, foi um evento extremamente positivo. Aos olhos de quem viveu uma inflação que rondava 2.500% ao ano, a estabilidade monetária parecia um paraíso. Contudo, não foi a estabilidade monetária suficiente para colocar o Brasil no caminho do crescimento econômico, da distribuição da renda, da geração de empregos e da inclusão social. Ao fim dos dois governos do PSDB, de 1995 a 2002, a autoestima do povo era baixa, o desemprego era elevado e o crédito e o consumo eram inacessíveis para dezenas de milhões de brasileiros.

Os governos do PSDB foram, à época, semelhante às administrações de muitos países sul-americanos, como Argentina e Equador. Lá e cá, as ideias eram as mesmas, as políticas econômicas e sociais eram semelhantes e os resultados foram parecidos — inclusive, os resultados eleitorais. Na Argentina e no Equador, também houve a derrubada da alta inflação. No entanto, Carlos Menem, na Argentina, Lucio Gutierrez, no Equador, e Fernando Henrique Cardoso (PSDB), no Brasil, deixaram seus governos derrotados e desmoralizados.

Não era mera coincidência. Durante os anos 1980 e 1990, diversos países em desenvolvimento da América Latina adotaram modelos econômicos muito parecidos. Eram cópias e adaptações das ideias e práticas difundidas, durante os anos 1980, por Margareth Thatcher, primeira ministra do Reino Unido, e Ronald Reagan, presidente dos Estados Unidos. Esse movimento de Thatcher e Reagan ficou conhecido como neoliberalismo.

As ideias neoliberais foram organizadas em uma plataforma de ação que ficou conhecida como Consenso de Washington. Tal plataforma foi elaborada em uma reunião de economistas do Fundo Monetário Internacional (FMI), Banco Mundial e Departamento do Tesouro norte-americano, que aconteceu em novembro de 1989. O Consenso de Washington definiu em tópicos o que os países não desenvolvidos deveriam fazer para alcançar o pleno desenvolvimento. O FMI e o Banco Mundial foram, a partir de então e mundo afora, os principais defensores das privatizações de empresas estatais, da liberalização dos mercados financeiros, da abertura comercial e da redução de direitos sociais e trabalhistas. O resultado da aplicação dessa estratégia foi trágico para a Argentina, Equador e tantos outros.

Nos anos 1990, durante os governos do PSDB, o Brasil iniciou um ciclo de programas com o FMI. Tais programas são básicos: o Fundo emprestava recursos para socorrer o Brasil e exigia, além do pagamento da dívida, que o governo transformasse o Consenso de Washington em consenso nacional.

Em 2005, sob a orientação do presidente Lula, o Brasil decidiu não renovar o acordo com o FMI que estava em vigor desde a administração do PSDB. O governo brasileiro liquidou de forma antecipada a dívida com FMI que se prolongaria até 2007. Deixar de ser um devedor do FMI representou para o Brasil ficar livre das orientações do Fundo. O país não precisaria mais receber as missões do FMI que auditavam as contas do país e orientavam a equipe econômica do governo brasileiro. Era uma humilhação nacional receber estrangeiros para orientar o governo eleito pelo povo brasileiro.

Muitos devem lembrar da chilena Ana Maria Jul chegando ao Brasil nos anos 1980. Ela desembarcava carregando sua inseparável pasta preta (cheia de relatórios e tabelas) acompanhada de três ou quatro homens que vestiam terno preto e óculos escuros. Ela chefiou diversas missões do FMI que vinham ao Brasil auditar as contas públicas e impor o corte de gastos governamentais e o arrocho salarial ao funcionalismo público.

Além de pagar o que devia ao FMI, o Brasil, a partir de 2007, deixou de ser devedor internacional para se transformar em credor. A dívida pública externa líquida foi zerada naquele ano devido aos pagamentos e à política correta de formação de reservas. A dívida líquida externa é a dívida total menos as reservas que possuímos. Em janeiro de 2003, quando o presidente Lula assumiu o governo, o Brasil possuía apenas US$ 38,8 bilhões em reservas. Hoje, abril de 2013, tem US$ 378,7 bilhões. Em dez anos: dez vezes mais de reservas internacionais.

Os próximos dez anos

Previsões somente podem ser balizadas por acontecimentos presentes e passados. Ninguém pode fazer previsões honestas de choques econômicos ou políticos. Choques, por definição, não são previsíveis. Cenários futuros que incorporam possibilidades de choques não são sérios. São tentativas de adivinhação, tal como fazem os apostadores da mega-sena.

O compromisso com o controle da inflação, a consolidação do modelo macroeconômico e o desenvolvimento social que caracterizaram os últimos dez anos estabeleceram parâmetros futuros para o Brasil.

O Brasil do futuro não será o Brasil dos anos 1990, aquele Brasil dirigido pelas ideias do FMI. Será uma projeção do Brasil do presente e da sua história recente. Ambas observadas dentro do cenário internacional. O Brasil fez uma enorme inflexão de trajetória nos últimos anos. Portanto, nos próximos dez anos é provável que mantenha o mesmo rumo de desenvolvimento econômico e social. Embora a trajetória futura seja similar à trajetória presente, isto não quer dizer que nada mudará. Poderão ocorrer mudanças significativas. Afinal, a experiência mundial já revelou acontecimentos onde a vontade política fez a história chegar mais rápido: o Brasil de 2022 poderá ser muito diferente do Brasil de hoje.

Existe um modelo macroeconômico consolidado. O Banco Central e o governo têm mantido a inflação sob controle: nos últimos dez anos, somente no ano de 2003 a inflação superou a meta oficial. A dinâmica econômica mostrou que o PIB pode crescer em média 4,5% ao ano sem esbarrar em gargalos de infraestrutura e sem pressionar a inflação. Mostrou ainda que seu desempenho é afetado pelo cenário internacional, como nos anos de 2009 e 2012. A taxa de câmbio, embora flutuante, é administrada para evitar uma valorização excessiva — o objetivo é proteger a produção doméstica para o mercado interno e para a exportação. A administração fiscal do governo é exemplar: o déficit nominal como proporção do PIB e a relação dívida pública/PIB possuem valores que são dignos de elogios.

A inflação está sob controle. Entretanto, não tem sido fácil manter a estabilidade monetária nos últimos anos. Os preços têm alternado movimentos benignos e malignos. Preços que são determinados nos mercados internacionais se mostram voláteis, e choques climáticos se tornaram frequentes. Assim, a inflação que vem de fora e os choques de oferta têm imposto uma postura de muita atenção para o Banco Central e o governo.

Quando se compara a inflação brasileira com os demais países dos BRICS, vemos que o compromisso da estabilidade monetária está sendo mantido. E se percebe também que existe uma inflação internacional que contamina a todos. A inflação média do Brasil no período 2003-2012, ou seja, nos últimos dez anos, foi de 5,9%; a da Rússia, 9,9%;

a da Índia, 7,7%; a da China, 3,1%; a da África do Sul foi de 5,4% e a média dos BRICS foi de 6,4%. Em conclusão: o Brasil está dentro do padrão internacional. Tem uma inflação um pouco menor que dois países e um pouco maior que os outros dois países dos BRICS.

Os resultados em termos de geração de emprego, distribuição da renda e mobilidade de classe de renda são inequívocos. O Brasil provavelmente nos próximos anos alcançará uma taxa de desemprego menor ainda, os salários e o consumo ocuparão posição de mais destaque dentro da economia e tenderão a desaparecer das estatísticas as famílias muito pobres.

Novos desafios já foram estabelecidos pelo governo da presidente Dilma, pelos empresários e pela sociedade: no futuro próximo, o Brasil deverá ser um país com empresas competitivas, com infraestrutura e deverá universalizar o acesso a serviços públicos de qualidade. Estes três vetores poderão explicar as mudanças econômicas e sociais que ocorrerão nos próximos anos.

De consumidor a cidadão

A mais importante mudança estrutural do Brasil nos últimos anos foi a constituição de um enorme mercado de consumo para milhões e milhões. Houve um conjunto de fatores que contribuíram para a sua organização: a valorização do salário mínimo, a ampliação do crédito, a queda das taxas de juros, a ampliação do programa Bolsa-Família, a queda da taxa de desemprego, o aumento do emprego com carteira assinada, a elevação do rendimento dos trabalhadores e até o Programa Luz para Todos. Este programa deu um impulso adicional à cadeia de eletrodomésticos.

A base consumidora do mercado brasileiro é formada por trabalhadores. A expansão da classe trabalhadora de renda mais baixa explica a conformação desse mercado de massas, de milhões. São trabalhadores de baixa qualificação que ganham até três salários mínimos. Aproximadamente 90% dos empregos criados nos últimos anos remuneram com até três salários mínimos. Eram milhões que estavam desempregados ou subempregados que ganharam uma carteira de trabalho. Os novos consumidores brasileiros são operários da construção civil, comerciários, motoristas, garis, empregadas domésticas, motoboys etc. Eles são trabalhadores e consumidores, mas candidatos à cidadania.

Em 2003, o mercado de consumo brasileiro era composto por menos da metade da sua população. A partir de 2011, 2/3 da população passaram a constituir a base do mercado de massas brasileiro — isto representa um mercado de mais de uma centena de milhão de indivíduos. A quantidade de indivíduos que participa do nosso mercado é maior que a população da Alemanha. É maior que a população da França. É maior que a população da Inglaterra.

Entre 2003 e 2011, ingressou no mercado brasileiro o equivalente a toda a população da Argentina (mais de 40 milhões de pessoas). Espera-se que, até 2022, mais 25% da população possam ingressar nas classes de renda que são capazes de consumir de forma regular. Este número equivaleria a mais 60 milhões de novos consumidores regulares.

O emprego e a renda levaram milhões de brasileiros aos mercados de consumo e de trabalho das localidades onde vivem ou trabalham as altas classes médias e os ricos. Este foi o momento onde os mais necessitados perceberam que não basta ter emprego. O emprego é essencial, mas é preciso ter transporte, saneamento, iluminação, coleta de lixo, varrição, segurança pública, áreas de lazer etc... é preciso ter direito à cidade onde moram.

Os milhões de brasileiros que ingressaram na classe trabalhadora têm características peculiares. São solidários e generosos: uns ajudam os outros. Eles brigam por um lugar menos desconfortável nos transportes urbanos, mas ajudam senhoras e moças a desembarcar em situações de risco. É gente sofrida, gente que sente a dor do quotidiano. Não abraçaram o individualismo: não sonham com uma escola particular para seus filhos, mas sim com uma escola pública de qualidade. Não querem um plano de saúde privado, mas sim que o sistema público de saúde tenha qualidade e cobertura plena. Não querem mais renda para comprar remédios, mas sim a gratuidade dos medicamentos.

Os novos trabalhadores são socialmente discriminados. São olhados com desconfiança quando adentram os aeroportos com malas de baixa qualidade e com sacolas plásticas nas mãos. Os barões da comunicação estimulam a discriminação quando descrevem seus representantes como usuários de roupas vulgares, que não tem o bom gosto dos ricos. A personagem Suelen da telenovela Avenida Brasil ou as meninas que moravam no morro do Alemão na Salve Jorge revelam o olhar preconceituoso que os barões da comunicação espalham para a sociedade sobre as filhas das famílias trabalhadoras.

O crescimento econômico e o emprego, portanto, podem melhorar as condições de vida de cada família dentro de cada casa, mas a vida do cidadão urbano contemporâneo se desenrola, em grande parte, na rua. A vida na rua, ou seja, o acesso à cidade, unicamente quem pode melhorar são as políticas públicas. Com mais renda, uma família pode melhorar o seu espaço privado — renda e emprego não são condições suficientes para que o indivíduo tenha acesso a equipamentos e serviços de qualidade.

Mercado de massas e competitividade

Embora o mercado doméstico tenha crescido, os empresários e o governo perceberam que as importações de bens industrializados cresceram muito mais, ocupando o espaço da produção nacional. Em 2002, o país importava US$ 40,4 bilhões em produtos industrializados; em 2012, importou US$ 193,9 bilhões — quase cinco vezes mais.

Percebeu-se que as empresas instaladas no Brasil possuem custos que retiram competitividade para que possam concorrer no mercado doméstico e, também, no mercado internacional. Existia um atenuante, a empresa podia compensar a sua mais modesta competitividade com os ganhos financeiros certos que auferiam. Contudo, a partir de 2011 um novo arranjo financeiro foi estabelecido com a redução da taxa de juros Selic para patamares muito baixos em termos reais. Não há mais atenuante: o foco se voltou para os custos da atividade produtiva.

Ano	Brasil – Importação de produtos industrializados (US$ bilhões)
2002	40,4
2004	51,1
2007	98,8
2010	157,9
2012	193,9

Fonte: Secex/MDIC.

Diversas medidas foram adotadas para melhorar a competitividade das empresas, mas o Brasil precisa de mais, e é provável que fará muito mais nos próximos anos. O BNDES tem programas para investimentos com taxas de juros muito baixas. As tarifas de energia elétrica foram reduzidas. Houve desoneração da folha de pagamentos. Há muito esforço do governo para que os investimentos em portos e aeroportos eficientes sejam viabilizados. Há esforço também para melhorar o transporte terrestre de carga. A mão de obra está sendo qualificada. Nos últimos dez anos, foram construídos e estão funcionando 259 novos Centros Federais de Tecnologia (os CEFET´s). Eram 140, hoje são quase 400.

Aumentar a competitividade das empresas não é uma tarefa que tem fim. É um processo permanente. A busca permanente pelo aumento da produtividade possibilita o desenvolvimento tecnológico, a redução de custos, a elevação da capacidade de investir e a geração de mais empregos com melhores salários. Portanto, o aumento da competitividade é o resultado de um jogo que todos ganham.

É preciso criar um ambiente de negócios em que as grandes invenções possam se transformar em inovações empresariais. Sem desenvolvimento tecnológico não existirão ganhos de produtividade significativos. Portanto, o desenvolvimento tecnológico e o aumento da competitividade são dois lados da mesma moeda.

O aumento da competitividade é imperioso. Constituímos um mercado doméstico de consumo de massas. O nosso mercado está sendo invadido por produtos importados. Em outras palavras, a demanda brasileira cria empregos no exterior. A única forma de reverter este quadro é produzir produtos de qualidade com preços competitivos. Logo, o aumento da produtividade poderá reduzir ainda mais o desemprego — porque deixaríamos de "exportar" postos de trabalho.

A proteção do nosso mercado de consumo para transformá-lo num espaço de compra e venda de produtos nacionais de qualidade e com preços acessíveis deveria ser um objetivo estratégico. O nosso mercado de consumo de massas é um mercado popular. Mas, hoje, o povo não consome somente arroz, feijão e sabonete. O povo consome tecnologia. O povo compra smartphones, tablets e computadores. É esta capacidade de consumo que está sendo desperdiçada. É aqui que empregos são "exportados".

Será preciso reverter esse quadro, precisamos de indústrias que produzam produtos que contenham tecnologia. Mas, para tanto, será preciso um ambiente de negócios competitivo, sem burocracia empresarial, com impostos reduzidos sobre o investimento e a produção e que gere milhões de empregos para trabalhadores qualificados e produtivos que devem receber bons salários.

Passado, presente e... o futuro

Os cidadãos desejam e necessitam mais que emprego, renda e consumo. Necessitam de serviços e equipamentos públicos de qualidade. Ademais, as empresas do setor produtivo estabelecidas no país perceberam a sua baixa capacidade de competir e perceberam mais: que nos próximos dez anos algumas dezenas de milhões de consumidores entrarão no mercado. Eles comprarão alimentos, roupas, automóveis... mas também necessitarão e exigirão transportes, serviços de saúde, escolas de qualidade, iluminação pública, saneamento etc. A vida dentro de cada casa já melhorou no Brasil. A exigência, a partir de agora, é que a vida também tenha melhor qualidade fora de casa. Não basta um sofá novo e uma smartTV. É preciso, principalmente, qualidade de vida urbana. É preciso ser além de consumidor: é preciso ser cidadão.

Não há a menor dúvida de que o governo e as empresas privadas estão engajados no movimento de busca de satisfação do consumidor e do cidadão. Para as empresas, a ampliação do mercado doméstico é a oportunidade de lucros. Mas, os lucros somente existirão para as empresas competitivas — sejam elas do setor de bens de consumo ou do setor de construção e administração de infraestrutura (portos, ferrovias, transportes urbanos etc). A pressão competitiva internacional a busca por novos mercados para além dos mercados que já atingiram o seu tamanho máximo (Estados Unidos e Europa) é muito forte.

Apesar das dificuldades políticas e econômicas americanas e das políticas de austeridade aplicadas na Europa, haverá uma recuperação, embora lenta, dessas regiões que terá pouca influência sobre a trajetória brasileira no decênio que vai até 2022. A performance dessas regiões não afetará o desempenho do Brasil. Mais importantes são suas crises que espalham expectativas negativas pelo mundo, inclusive, sobre o empresariado que atua na economia brasileira.

Por outro lado, o crescimento chinês tem importante influência sobre o desempenho econômico brasileiro. Parece que sua trajetória de crescimento tende a se manter em patamar um pouco inferior a 10% ao ano, que é um patamar bastante satisfatório para os propósitos econômicos do Brasil.

Tudo indica que será basicamente neutro o cenário internacional, salvo a ocorrência de choques, para explicar o desempenho econômico brasileiro dos próximos anos. Nos últimos dez anos, o Brasil diversificou regionalmente a sua pauta de exportações. As políticas diplomática e comercial brasileiras caminharam juntas para favorecer a abertura de novos mercados. Reduzimos a concentração que existia na União Europeia e nos Estados Unidos. Atualmente, somente um pouco mais de 30% das exportações brasileiras vão para essas regiões. O Brasil dos próximos anos será explicado pelo Brasil. Será explicado pela dinâmica do seu mercado doméstico de consumo.

Principais destinos das exportações brasileiras	2003 (em %)	2012 (em %)
Estados Unidos	22,8	11
União Europeia	25,3	20,1
América do Sul	13,9	15,4
Mercosul	7,8	11,5
África	3,9	5,0
Oriente Médio	3,8	4,8
China	6,2	17
Índia	0,8	2,3

Fonte: Secex/MDIC.

As empresas estabelecidas no Brasil sabem que o mercado de consumo e as exigências de cidadania tendem a crescer. Portanto, sabem também que devem se tornar mais eficientes. Caso contrário, as demandas de cidadãos e consumidores não serão atendidas ou serão atendidas por empresas estabelecidas fora do território nacional. Em 2003, o desafio era melhorar a vida das pessoas gerando emprego, renda, crédito e consumo. Em 2013, o desafio é melhorar a vidas das pessoas elevando-as do patamar de consumidores para o nível de cidadãos. O outro desafio será a melhoria do mundo dos negócios, possibilitando o surgimento de empresas nacionais competitivas. Nos próximos dez anos, além do emprego, salários e consumo que estarão no centro do palco, o Brasil poderá viver também uma época de grandes investimentos públicos e privados em uma economia dinamizada por empresas competitivas.

Um detalhe

De 2003 a 2012, o PT e seus aliados fizeram de tudo e muito fizeram. Era possível fazer mais? Sim, talvez um pouco mais. A diferença entre o que foi feito e o que poderia ter sido feito não é significativa. E será possível fazer muito mais no próximo decênio. Mas faltou um detalhe. E é no detalhe que está uma pequena chave que pode abrir portas e apontar caminhos. Passados dez anos, já era hora do PT e seus aliados apresentarem de forma escrita e organizada o projeto de desenvolvimento que seus governos perseguem. A visão que se tem da atuação dos governos do PT e de seus aliados é que são governos que fazem muito para melhorar a vida das pessoas, mas parecem governos varejistas, sem projetos.

É preciso ter um projeto de desenvolvimento nacional que seja conhecido e discutido pela sociedade. Uma estratégia que possa apontar claramente para onde se deseja levar a sociedade. É preciso ser dito qual conjunto de políticas macroeconômicas e públicas vai ser utilizado. A falta de uma estratégia explicitada de desenvolvimento transmite a sensação de que não existe planejamento, de que não há planejamento para os próximos dez, quinze ou vinte anos. Um país precisa ser planejado e a sociedade precisa de indicações claras sobre rumos e objetivos futuros.

Uma estratégia de desenvolvimento deve emular o imaginário nacional se transformando em sonho, em orgulho, em utopia. Mentes e corações podem ser conquistados para o caminho do desenvolvimento. A conquista do voto eleitoral deveria ser o coroamento, e não a disputa básica.

O desenvolvimento, enquanto projeto, deveria ser sonhado pela sociedade e não somente pelos seus governantes.

Esse detalhe, a chave, abriria a porta onde povo, governo e políticos poderão se unir com laços mais densos — para além do voto e das campanhas eleitorais.

Outro detalhe

Falta ao discurso e a atuação dos governos do PT e de seus aliados um componente nacional. O componente social está bem nítido. Mas o nacionalismo não. O nacionalismo é o sentimento que emerge da forma pela qual o mundo moderno se organizou territorialmente. A concepção do Estado Nacional gera naturalmente e potencialmente o sentimento do nacionalismo.

O indivíduo, que vive e trabalha dentro de um espaço geográfico demarcado (chamado de país), tem a sensação de pertencimento àquele território nacional. Ele sente necessidade e orgulho de todos os símbolos e adjetivos que enfatizam a sua condição. Portanto, o nacionalismo deveria ser composto com o desenvolvimentismo social. O desenvolvimento com forte componente nacional aceleraria ainda mais os ganhos sociais.

Um exemplo de política nacional

Com um exemplo é possível mostrar os ganhos da sinergia entre a esfera nacional e a esfera social dentro das políticas de desenvolvimento. O Brasil precisa se transformar em um importador mundial de cérebros. Isto é muito mais barato do que enviarmos nossos melhores estudantes ao exterior. Aliás, uma parte dos nossos melhores estudantes, quando se destaca no exterior, é capturada por grandes empresas ou universidades e vai morar nos Estados Unidos ou na Europa. Na tentativa de importar conhecimento e formar jovens, acabamos exportando cérebros.

Precisamos trazer excelentes professores e pesquisadores estrangeiros e integrá-los nas universidades brasileiras. Mais: precisamos integrá-los na sociedade brasileira. Temos recursos para isso. Precisamos não somente formar pesquisadores; precisamos construir instituições universitárias e de pesquisa que estejam entre as melhores do mundo. Assim, precisamos de cientistas experientes, com carreiras mundialmente já consolidadas. Pesquisadores importados fortaleceriam as universidades brasileiras hoje. Estudantes enviados ao exterior somente poderão fortalecer nossas universidades dez ou quinze anos à frente.

Precisamos de professores cientistas, por exemplo, na área da saúde e da engenharia. Esta é a melhor forma de "transferência" e desenvolvimento de ciência e tecnologia nacional. Professores estrangeiros interagem com outros professores brasileiros, não somente com os seus alunos. A importação de um professor de destaque para o Brasil espalha mais ganhos para o país do que centenas de estudantes brasileiros estudando nos Estados Unidos ou na Europa.

O componente nacional dessa iniciativa de importação de cérebros seria o fortalecimento das instituições brasileiras, da pesquisa desenvolvida aqui e da geração de tecnologia nacional. E o ganho social seria o espalhamento de conhecimento para milhões de estudantes residentes no país — e não apenas para uma parte que teve a sorte de ganhar uma bolsa de estudos para morar no exterior. Criaríamos um ambiente novo dentro das nossas universidades — além disso, não fortaleceríamos as universidades estrangeiras concorrentes pagando a elas valores astronômicos na forma de anuidades. São concorrentes porque fazem pesquisa e elaboram invenções para as multinacionais.

De olho no futuro

O PT, seus aliados e a sociedade brasileira, principalmente as camadas que auferem rendas mais baixas, têm motivos para comemorar os primeiros e principais passos rumo à cidadania e ao desenvolvimento dos últimos dez anos. As comemorações não devem anestesiar o PT, seus aliados, seus dirigentes e os governantes; elas devem servir para o estabelecimento de parâmetros para que os desafios das próximas décadas possam ser alcançados. O passado ficou no retrovisor, o futuro precisa ser construído e a tarefa será mais difícil. O que ficou para trás será esquecido, as exigências da sociedade estão no para-brisa dianteiro.

O combate ao desemprego necessitou de estímulos "no atacado", por exemplo, com a ampliação do crédito e o aumento do salário mínimo que estimularam o consumo, a produção e a contratação de novos trabalhadores. A tarefa para os próximos dez anos será muito mais difícil. São muitas as áreas carentes de investimentos e milhões de carentes impondo quotidianamente as suas necessidades sociais.

A política pública terá que ser mais detalhada, terá que ser minuciosamente estudada para que possa realizar uma alocação mais eficiente de recursos orçamentários. São políticas para diversas áreas: da saúde à educação, da segurança pública ao transporte de carga... É conhecido pela pesquisa acadêmica que políticas "no atacado", como as políticas macroeconômicas, podem oferecer resultados mais rápidos que as políticas setoriais. Estas sempre esbarram nas restrições orçamentárias, na determinação de prioridades e no movimento da "roda que não para de girar", ou seja, por exemplo, os hospitais devem atender a demanda de hoje e, ao mesmo temo, a política de saúde tem que buscar o planejamento visando à ampliação da cobertura e a máxima qualidade.

O próximo decênio será de grandes dificuldades. As políticas públicas terão que ter potência e eficiência. O objetivo deveria ser colocar o Brasil no grupo de países desenvolvidos em 2022, duzentos anos após a sua independência.

CAPÍTULO 2

Dez anos de tempos estranhos

Ninguém pode negar: o Brasil mudou para melhor. Dez anos de governos do PT e de seus aliados proporcionaram profundas mudanças econômicas e sociais. A sociedade mudou. A desesperança dos anos 1990 foi transformada em otimismo e em uma nova pauta de desejos e exigências. Os governos do PT e de seus aliados geraram também uma aglutinação oposicionista composta de forças neoliberais, de seitas conservadoras, de grupos rentistas, de famílias que controlam grandes meios de comunicação, de altos funcionários de carreiras de Estado e, por último e com menos importância, três ou quatro partidos políticos.

As estatísticas econômicas e sociais são avassaladoras quando são comparados os governos do PSDB (1995-2002) com os governos de Lula-Dilma e seus aliados (2003-2012). Alguns poucos exemplos são suficientes para comprovar as diferenças.

No início dos anos 2000, pesquisas apontavam que o desemprego era um grande problema nacional. Em 2003, a taxa de desemprego era superior a 12%. Em 2012, foi de

5,5%. Em 2002, somente 33,9 % dos domicílios possuíam máquina de lavar. Em 2011, este número aumentou para 51%. Em 2002, 86,6% dos domicílios possuíam geladeira; em 2011, saltou para 95,8%. E, certamente, milhões de brasileiros trocaram eletrodomésticos velhos por novos.

O emprego e o consumo levaram os indivíduos das classes de baixa renda às localidades onde vivem ou trabalham os ricos e aqueles que recebem altas rendas. Aquela massa de trabalhadores percebeu que não basta ter emprego e poder consumir. Ter um emprego é básico, é o direito essencial à renda. Mas eles passaram a desejar mais, muito mais. Tomaram a consciência que não basta sobreviver, é preciso viver. Sob estas condições, indivíduos que já realizam o consumo (uma atividade privada) passaram a desejar/exigir o investimento (público) nos serviços de saúde, na segurança pública, no saneamento... etc.

Este é o desafio do decênio que vai até 2022: manter o emprego, o crescimento da renda e socializar a oferta de bem-estar. Esta é a nova utopia de grande parte da sociedade. Se o PT e os seus aliados desejam continuar mudando e transformando o Brasil terão que abraçar essa utopia. O modelo de crescimento com geração de emprego e distribuição de renda, desenvolvido nos últimos dez anos, precisa incorporar no seu âmago a multiplicação do bem-estar social — que significa a socialização da oferta de benefícios, serviços e equipamentos públicos de qualidade.

Não há qualquer projeto alternativo às políticas econômicas e sociais aplicadas pelo PT e seus aliados nesses últimos anos. A aglutinação oposicionista não tem projeto consistente. Como não tem projeto e tem que sobreviver, ela busca tão somente (o que não é pouco) aumentar a rejeição ao PT, a Lula, à presidente Dilma e aos aliados. Basta deixar de ser aliado do governo federal para ser canonizado pela mídia dos barões da comunicação. Pode-se, por exemplo, criticar o governo por não permitir o aumento da gasolina e reduzir a capacidade de investimento da Petrobras. Mas vale também o argumento de que o governo autorizou o aumento da gasolina e que isso vai gerar inflação.

No segundo semestre de 2012, um colunista de rádio criticou a presidente Dilma por fazer o movimento de redução dos juros. Dizia ele, em tom de sentença: "não é possível reduzir juros por decreto". Mas os juros baixaram. Em 2013, disse: "os juros no Brasil ainda são uns dos mais altos do mundo". E, talvez sem perceber, logo em seguida, proclamou em tom de concordância: "parte do mercado percebe a necessidade de os juros subirem porque a inflação está se acelerando". É a prática do vale-tudo: dizer, desdizer e dizer novamente. A coerência não importa. O que importa é fazer oposição no programa de rádio diário.

A aglutinação oposicionista busca juntar um enorme entulho de rejeição ao governo federal, ao presidente Lula, ao PT e a seus aliados. O objetivo é afogá-los nesse lixão. O lixo pode ser rotulado de corrupção, alianças espúrias (com velhos corruptos), incompetência, voluntarismo, autoritarismo, ingerência política em empresas estatais, enriquecimento ilícito, indicações políticas (e não técnicas) para cargos públicos, obras paralisadas, filas no SUS, desperdício de recursos públicos e possibilidade de racionamento de energia elétrica.

É neste ziguezague que a aglutinação oposicionista busca espalhar rejeição para através de um candidato qualquer

(Marina Silva ou Aécio Neves, por exemplo) tentar vencer as eleições presidenciais de 2014. Não importa o candidato, suas ideias, projetos etc. O que importa é interromper a história. Afinal, ela tem incomodado e muito. A aglutinação oposicionista está contrariada porque perdeu ganhos financeiros, perdeu o monopólio de decidir grandes questões nacionais, não têm livre acesso aos corredores do Palácio do Planalto... e perdeu controle sobre o futuro. Não aceitam civilizadamente o resultado das urnas: afinal, estudaram nas melhores escolas, em universidades americanas e falam duas ou três línguas. Seu destino não poderia ser a oposição. Eles não aceitam não ocupar posições de comando. Escolheram o caminho do vale-tudo.

A aglutinação oposicionista não somente quer interromper a história. Eles querem apagá-la. Aliás, nem consideram história o que aconteceu no Brasil nos últimos dez anos. Chamam o período de "tempos estranhos". Um articulista de uma grande revista escreveu: "Lula será apenas outra má lembrança destes tempos estranhos".

A distribuição da renda: trajetória benigna

Após dez anos de governos do PT e de seus aliados, pode-se detectar uma importante melhora no perfil da distribuição da renda no país. Estamos muito longe de uma situação ideal. Mas, em contrapartida, a situação é muito melhor que a do final dos anos 1990 e início dos anos 2000.

O índice de Gini foi reduzido. Este índice mede a distribuição da renda e varia entre 0 e 1. Quanto mais próximo de 1, maior a desigualdade, e quanto mais próximo de zero, maior a igualdade. O Gini brasileiro caiu de 0,585, em 1995, para 0,501, em 2011. Contudo, este é um número que ainda está distante dos índices de países como França (0,308) ou Suécia (0,244).

No início dos anos 1960, o Brasil possuía um Gini inferior a 0,5. Entretanto, os governos militares (1964-1985) adotaram um modelo de crescimento econômico com concentração de renda. O Gini subiu. Em meados dos anos 1990, com a queda da inflação, o índice de Gini sofreu uma redução.

O índice de Gini é calculado com base na Pesquisa Nacional por Amostra de Domicílios (Pnad) do IBGE. Mais de 96% das rendas declaradas na Pnad correspondem às remunerações do trabalho e às transferências públicas. Sendo assim, a desigualdade medida pelo Gini/Pnad não é adequada para revelar a distribuição da renda entre trabalhadores, de um lado, e empresários, banqueiros, latifundiários, proprietários de imóveis alugados e proprietários de títulos públicos e privados, de outro. O índice de Gini não revela a participação das rendas do trabalho e do capital como proporção do Produto Interno Bruto (o PIB, que é o valor de todos os serviços e bens que são produzidos).

Índice de Gini

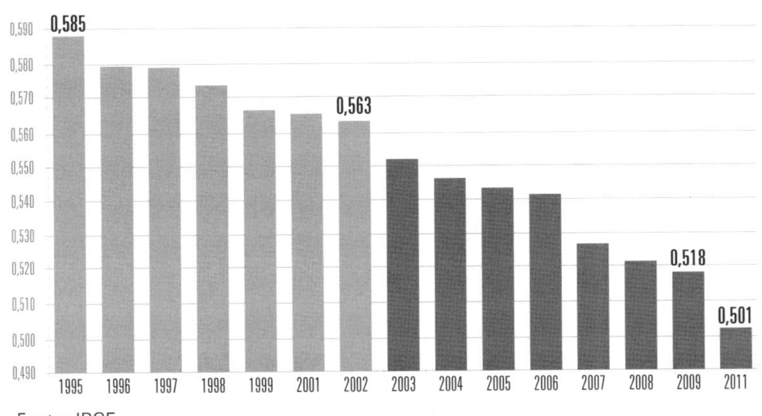

Fonte: IBGE.

Além do Gini, é preciso analisar a distribuição funcional da renda: capital *versus* trabalho. O processo de desconcentração da renda que está em curso no Brasil vai além da redução do índice de Gini. Ocorre, principalmente, por causa do aumento da participação dos salários como proporção do PIB.

Houve uma trajetória de queda da razão salários/PIB de 1995 até 2003, quando caiu a um piso de 46,23% (incluindo as contribuições sociais dos trabalhadores e excluindo a remuneração de autônomos). A partir de então, houve uma inflexão na trajetória, que se tornou ascendente. O último dado divulgado pelo IBGE é de 2009. Neste ano, a participação dos salários alcançou 51,4% do PIB, superando a melhor marca do período 1995-2003, que foi 49,16%.

Participação dos Salários no PIB

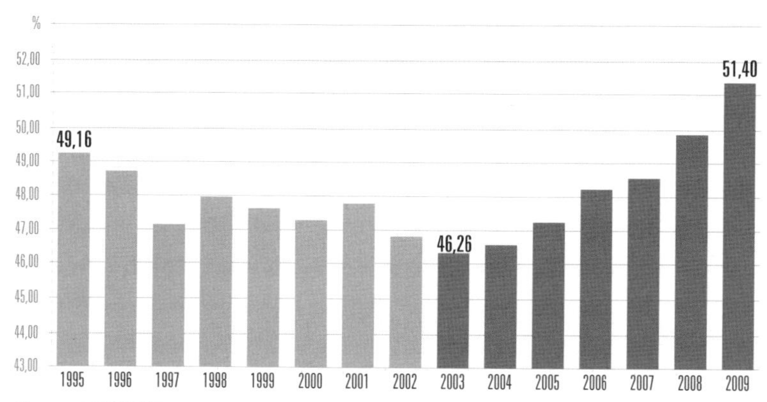

Fonte: SCN/IBGE.

São variadas as causas do movimento positivo de aumento da participação dos salários no PIB. O rendimento médio do trabalhador teve um aumento real significativo entre 2003 e 2012. Houve um vigoroso aumento real do salário mínimo nos últimos dez anos. E houve redução dos juros pagos pelo governo aos proprietários de títulos públicos e redução dos juros cobrados das famílias pelos bancos.

O índice de Gini/Pnad e a participação percentual das remunerações dos trabalhadores no PIB são medidas complementares. Ambas representam dimensões da desigualdade e do desenvolvimento socioeconômico do país. As duas medidas mostram que o desenvolvimento socioeconômico brasileiro está em trajetória benigna desde 2003-4. Elas mostram também que no período anterior (1995-2003) as rendas do trabalho perdiam espaço no PIB para as rendas do capital.

A recuperação do poder de compra dos salários foi o principal pilar da constituição do imenso mercado de consumo de massas que foi organizado no Brasil nos últimos anos. O desenvolvimento econômico e social brasileiro depende, portanto, do aprofundamento do processo distributivo em curso. Não existirá desenvolvimento sem desconcentração de renda.

O desemprego: houve uma redução histórica

A pesquisa do IBGE que mede o desemprego sofreu uma importante mudança metodológica em março de 2002. Portanto, não é possível comparar a evolução da taxa de desemprego desde meados dos anos 1990 aos dias de hoje. Só é recomendável fazer comparações anuais a partir de 2003. Em dez anos de governo, os presidentes Lula e Dilma aplicaram políticas econômicas e sociais que reduziram drasticamente a taxa de desemprego. Em 2003, a taxa média de desemprego era de 12,3%; em 2012, caiu para 5,5%.

Embora não seja possível analisar uma trajetória mais longa da taxa de desemprego por causa da mudança metodológica de 2002, pelo menos a herança deixada a Lula pode ser identificada. O presidente Lula recebeu uma economia com uma taxa de desemprego de dois dígitos.

Taxa de Desemprego – Média Anual (%)

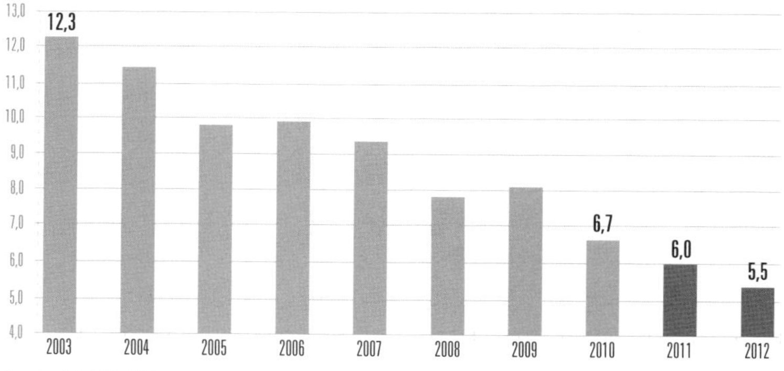

Fonte: PME/IBGE.

E tão importante quanto a redução das taxa de desemprego foi que uma parcela significativa da vagas de trabalho criadas é formal, isto é, os trabalhadores que ocupam esses postos possuem, por exemplo, carteira assinada ou são servidores estatutários. Sendo assim, têm garantido por lei os direitos trabalhistas.

No período em que as ideias neoliberais estavam no seu auge (1995-2002), alardeava-se que os empregos formais não cresciam porque a formalização era muito custosa para os empresários. Supostamente, uma reforma que retirasse direitos trabalhistas seria boa para as empresas e boa para os trabalhadores informais, que ganhariam uma carteira assinada. Seria uma carteira "vazia", sem direitos trabalhistas.

Essa crença neoliberal estava plenamente equivocada. Está provado que, quando há crescimento econômico, a forma de ocupação que mais cresce é o emprego com carteira assinada. Outras formas de ocupação, como o trabalho informal ou por conta própria, são menos influenciadas pelo crescimento. Não havia crescimento de empregos formais no período neoliberal porque a economia estava semiestagnada e porque a visão de Estado mínimo predominante tornou os concursos públicos escassos. A culpa pela geração medíocre de empregos formais não era dos direitos trabalhistas — chamados pelos neoliberais de custos empresariais. A culpa era do baixo crescimento.

Uma boa medida da taxa de formalização no mercado de trabalho é a população empregada com carteira como proporção da população total ocupada. Essa taxa de formalização subiu de 43,5 %, em 2003, para 53,6%, em 2011, segundo cálculos do Ministério da Fazenda. Portanto, o que reduziu a informalidade foi o crescimento econômico e não a retirada de direitos trabalhistas — que foram mantidos pelos governos do PT e de seus aliados.

Em todo o período de 1995 a 2002 foram criados apenas 5 milhões de empregos formais. Na era Lula, este número mais que triplicou: foram gerados 15,3 milhões de empregos formais.

Criação de Empregos Formais
(1.000 postos de trabalho)

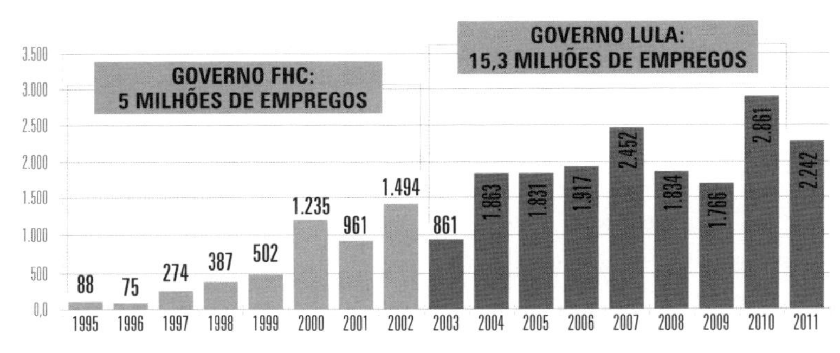

Fonte: RAIS/MTE.

O presidente Lula inaugurou uma nova fase em termos de padrão de geração de empregos formais no país. Durante os seus governos, além do crescimento econômico que gerou milhões de empregos com carteira assinada, o Estado brasileiro iniciou um processo de organização no qual um pilar muito importante foi a abertura de muitos concursos públicos.

A presidente Dilma também foi bem sucedida. Em 2011, foram criados 2,4 milhões postos formais. Os dados completos e definitivos de 2012 ainda não estão disponíveis. Até o momento, têm-se apenas os dados aproximados de postos celetistas: 1,3 milhão de empregos. Os números obtidos no primeiro biênio do governo Dilma são plenamente satisfatórios, principalmente quando comparados com os resultados obtidos pelos países europeus que espalham crise pelo mundo.

Os números alcançados em termos de redução do desemprego e geração de empregos formais durante os governos do PT e seus aliados não são meras estatísticas. Ninguém pode negar: quando um pai ou uma mãe, quando um filho ou uma filha, chega em casa com a carteira de trabalho assinada, isto é motivo de muito orgulho e segurança para as famílias.

O salário mínimo subiu e a informalidade caiu

No dia 1º de maio, comemora-se no Brasil o dia do Trabalhador, mas também é o dia da criação do salário mínimo. Em 1940, o presidente Getulio Vargas, em discurso no campo do Vasco da Gama, na cidade do Rio de Janeiro, anunciou a sua criação:

> *"...assinamos, hoje, um ato de incalculável alcance social e econômico: a lei que fixa o salário mínimo para todo o país. (...). À primeira vista, poderão pensar os menos avisados que a medida é prematura e unilateral, visto beneficiar, apenas, os trabalhadores assalariados. Tal, porém, não ocorre no plano do Governo. A elevação do nível de vida eleva, igualmente, a capacidade aquisitiva das populações e incrementa, por conseguinte, as indústrias, a agricultura e o comércio, que verão crescer o consumo geral e o volume da produção."*

A visão do Presidente Getulio Vargas não era que o salário mínimo seria apenas um custo para os empresários, mas seria sim um elemento que impulsionaria a economia já que aumentaria o poder de compra da população.

Nos anos neoliberais (1995-2002), o salário mínimo foi considerado apenas um custo para os empresários. Sendo um custo, estimularia a informalidade no mercado de trabalho, ou seja, trabalhadores seriam contratados sem a assinatura da carteira de trabalho. E, além disso, na condição de trabalhadores informais, não receberiam nem sequer o salário mínimo reajustado. Em documento oficial do Ministério da Fazenda do período Fernando Henrique Cardoso (disponível no site do Ministério), datado de 22 de março de 2000, avaliava-se que:

> "*...o aumento no valor do salário mínimo pode vir acompanhado de um aumento da informalidade e uma redução do grau de cobertura do salário mínimo, sem que se atinja, ao menos plenamente, o objetivo de promover um ganho real nos rendimentos dos trabalhadores com menor remuneração*".

Ainda assim, a recuperação do valor do salário mínimo teve início nos governos do PSDB. Mas foi uma recuperação modesta porque consideravam, acima de tudo, que estariam aumentando custos empresariais. Diferentemente, o presidente Lula, junto com o movimento sindical, elaborou uma regra para uma recuperação mais vigorosa do salário mínimo. A presidente Dilma adotou a mesma regra. A partir de 2007, o salário mínimo passou a ser corrigido todos os anos pela inflação do ano anterior, somada à variação do PIB de dois anos atrás.

Contrariando a "teoria econômica" do Ministério da Fazenda do PSDB, enquanto o salário mínimo aumentou, a informalidade caiu. Em 2003, o salário mínimo era R$ 200, hoje, vale R$ 678, em valores correntes. Houve um aumento real de mais de 70%.

O salário mínimo é peça estratégica de um projeto de desenvolvimento social porque é um instrumento que promove a distribuição da renda. O valor do salário mínimo é um dos principais pilares da política de distribuição de renda: isto ocorre devido a influência que tem sobre as remunerações do mercado informal de trabalho, porque estabelece um piso para o mercado formal e porque é também piso dos benefícios pagos pela Previdência Social.

Não existe nova classe média

Possuir um grande mercado doméstico de consumo é o desejo de qualquer país. Se, por um lado, a ampliação do mercado aumenta o acesso da população a bens de consumo, por outro, torna a produção nacional menos dependente de humores internacionais. É estratégico para um país possuir milhões de consumidores que vão aos mercados domésticos adquirir bens e serviços. Uma economia é menos afetada por crises econômicas internacionais quando tem o seu próprio espaço de vendas e compras.

Em termos econômicos e sociais, a mais importante mudança estrutural do Brasil nos últimos anos foi a constituição de um enorme mercado de consumo. Vários vetores impulsionaram essa transformação: a valorização do salário mínimo, a ampliação do crédito, a queda das taxas de juros, a ampliação do programa Bolsa-Família, a queda da taxa de desemprego, o aumento do emprego com carteira assinada, a elevação do rendimento dos trabalhadores e o Luz para Todos.

O IBGE, através da Pesquisa Mensal do Comércio (PMC), mostrou que o volume de vendas do comércio varejista dobrou nos últimos dez anos. Além desse crescimento extraordinário, o segmento gera mais de 8,5 milhões de empregos formais, segundo o Ministério do Trabalho.

Volume de Vendas do Comércio Varejista
(índice de dezembro)

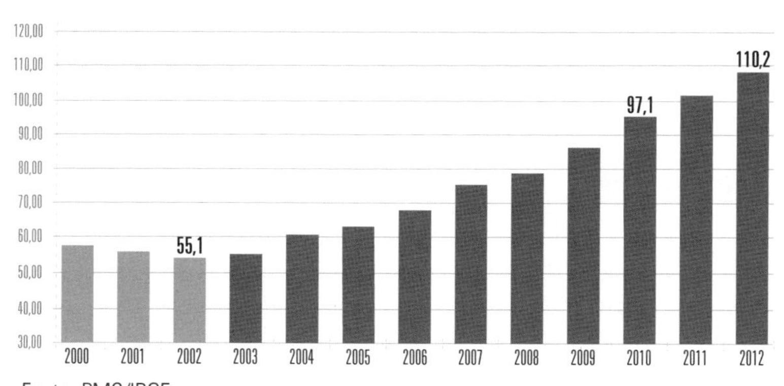

Fonte: PMC/IBGE.

Os novos consumidores do mercado doméstico são trabalhadores. Houve, nos últimos anos, uma enorme expansão da classe trabalhadora, aquela que "sua a camisa", aquela que sofre dia a dia nos transportes urbanos. Não é correto afirmar que a base que explica a expansão do mercado doméstico de consumo é uma nova classe média. A classe média é formada por médicos, advogados, administradores, psicólogos... profissionais liberais que não são capitalistas e nem despendem dia a dia a sua força física na produção de bens e na geração de serviços.

O alargamento do mercado doméstico tem como base milhões de indivíduos, homens e mulheres, que vendem a sua força de trabalho e recebem salário. Em sua grande maioria, ganham menos que três salários mínimos. São operários da construção civil, comerciários, porteiros, manicures, motoristas, garis, empregadas domésticas, motoboys etc. Eles são os novos consumidores brasileiros. É gente que imigrou para o sudeste de ônibus e hoje volta ao nordeste para visitar seus parentes de avião.

Em 2003, o mercado de consumo brasileiro era sustentado por 45,2% da sua população, que representavam as classes de renda A, B e C (eram 79,2 milhões de pessoas). As classes de renda D e E possuem baixa capacidade de compra que, ademais, é irregular. A partir de 2011, o percentual da população que passou a sustentar o mercado de consumo aumentou para 63,7% (o que equivale a mais de 122 milhões de brasileiros).

Classes de Renda
(% da população)

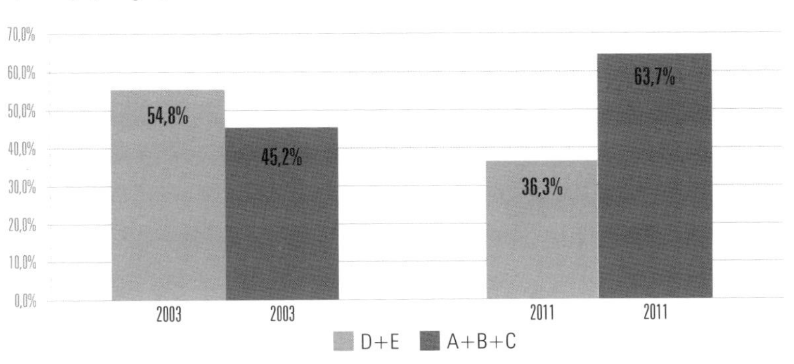

Fonte Primária: PNAD/IBGE. Fontes Secundárias: IPEA e Ministério da Fazenda.

Mais de 42 milhões ingressaram, portanto, nas classes de renda A+B+C no período 2003-11. Majoritariamente não ingressaram na classe média, ingressaram tão somente nas classes de renda que podem consumir de forma regular. Este movimento reflete a expansão da classe trabalhadora. Em 2003, o Brasil possuía 29,5 milhões de trabalhadores formalizados. Em 2012, este número aumentou para quase 48 milhões. Além da quantidade de trabalhadores formais, também cresceu o número de empregados informais e de trabalhadores por conta própria.

Foi esse imenso mercado de milhões de consumidores que auxiliou o enfretamento da crise financeira internacional de 2009. Naquele ano, esse conjunto de trabalhadores e suas famílias atenderam ao apelo do presidente Lula para que não adiassem o sonho de trocar de geladeira ou de comprar um carro popular zero quilômetro.

Esse mercado de consumo também é um canal de desenvolvimento econômico. O Brasil possui consumidores que podem gerar compras, produção, investimento e milhões de empregos. É também um canal de desenvolvimento social na medida em que os milhões de empregos que é capaz de gerar são um importante instrumento de redução de desigualdades.

Não houve "gastança" pública

Em 2009, o PSDB soltou uma nota onde afirmava: "o palácio do Planalto promove uma gastança...". Em qualquer dicionário, gastança significa excesso de gastos, desperdício. A afirmação feita na nota somente tem utilidade midiática, mas não é útil para a produção de análises e discussões sérias em torno da temática das finanças públicas brasileiras.

A dívida pública deixada para o presidente Lula era superior a 60% do PIB. O déficit público nominal era de 4,4% do PIB. Esses são os números referentes a dezembro de 2002, o último mês de Fernando Henrique Cardoso na presidência.

De forma ideal, a administração das contas públicas deve sempre buscar a redução de dívidas e déficits. Deve-se buscar contas públicas mais sólidas. A motivação para a busca desta solidez não está no campo da moral, da ética, da religião ou do saber popular que diz "não se deve gastar mais do que se ganha". A motivação está no aprendizado da Economia. Aprendemos que o orçamento é um instrumento de combate ao desaquecimento econômico, ao desemprego e à falta de infraestrutura. Contudo, o orçamento somente poderá ser utilizado para cumprir estas funções se houver capacidade de gasto. E, para tanto, é necessário solidez e robustez orçamentárias.

A ideia é simples: folgas orçamentárias devem ser alcançadas para que possam ser utilizadas quando a economia estiver prestes a provocar problemas sociais, como o desemprego e a redução de bem-estar. Portanto, a solidez das contas públicas não é um fim em si mesma, mas sim um meio para a manutenção do crescimento econômico, do pleno emprego e do bem-estar.

A contabilidade fiscal feita pela equipe econômica do governo do presidente Lula mostrou como essas ideias podem ser postas em prática. Houve melhora substancial das contas públicas que resultaram da boa administração durante o processo de aceleração das taxas de crescimento. O presidente Lula entregou à presidente Dilma uma dívida que representava 39,2% do PIB. Ao final de 2012, a dívida foi reduzida ainda mais: 35,1% do PIB. O presidente Lula entregou para a presidente Dilma um orçamento com déficit de 2,5% do PIB. Ao final de 2012, este número foi mantido.

Dívida Líquida do Setor Público
(% no PIB)

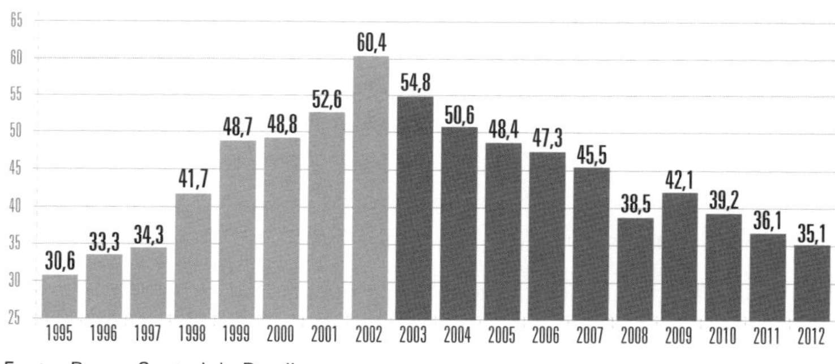

Fonte: Banco Central do Brasil.

Foi essa administração fiscal exitosa que deu ao presidente Lula autoridade política e solidez orçamentária para enfrentar a crise de 2009, evitando que tivéssemos uma profunda recessão e uma elevação drástica do desemprego. No ano de 2009, a relação dívida/PIB aumentou para 42,1% e o déficit público nominal foi elevado de 2% para 3,3% do PIB. Em compensação, naquele ano de crise, foram criados mais de 1,7 milhão de empregos formais, e o desemprego subiu apenas de 7,9%, em 2008, para 8,1%, em 2009.

Em paralelo à consolidação fiscal, os governos dos presidentes Lula e Dilma e de seus aliados promoveram ampliação dos gastos na área social. A área social engloba: educação, previdência, seguro desemprego, saúde, assistência social etc. O investimento social per capita cresceu 32% em termos reais entre 1995 e 2002. De 2003 a 2010, cresceu mais que, 70%. Cabe destacar que mesmo diante da fase mais aguda da crise financeira internacional de 2008-9, os investimentos sociais não foram contidos — a partir de 2009, houve inclusive uma injeção adicional de recursos nessa área.

Gasto Social Total per capita (R$ 2011)

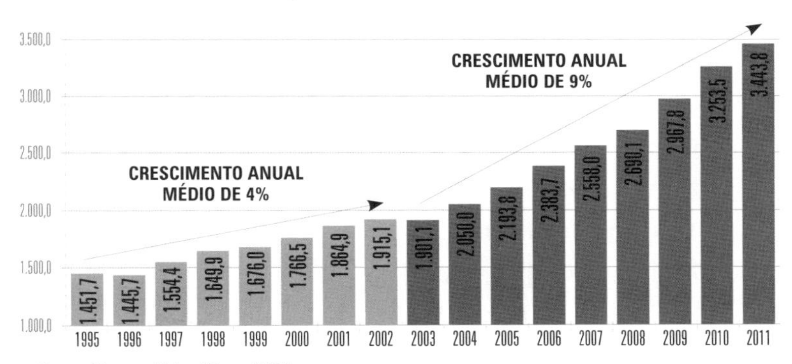

Fonte Secundária: Disoc/IPEA.
Fonte Primária: Siafi/STN, CEF e PNAD/IBGE.

Os números não são refutáveis. São estatísticas oficiais organizadas por milhares de técnicos competentes. O Estado brasileiro está consolidado em termos de responsabilidade com a geração de estatísticas. No Brasil, não há maquiagem ou ocultação de dados. Portanto, temos elementos para fazer análises consistentes das finanças públicas que dispensam a utilização de termos midiáticos jogados ao ar: gastança! Nos últimos dez anos não houve gastança, houve consolidação fiscal. Houve também aumento significativo de gastos na área social. Essa é a radiografia precisa dos números.

O crescimento: o PIB passo a passo

Foi pífio o crescimento econômico durante o período que o presidente Fernando Henrique Cardoso governou o Brasil (1995-2002). Em média, durante oito anos, a economia cresceu 2,3% ao ano. A economia não podia crescer. A valorização do salário mínimo era modesta. O crédito era um privilégio das altas classes de renda, dos ricos e das grandes empresas. O investimento público era cadente e as estatais, que restaram após as privatizações, tinham planos de investimentos limitados.

No primeiro mandato do Presidente Lula (2003-2006), a economia iniciou um processo de recuperação. Cresceu, em média, 3,5% ao ano. Este primeiro aumento do PIB foi impulsionado pelo início da política de valorização do salário mínimo e pela ampliação do crédito para as famílias e às empresas.

No segundo mandato do Presidente Lula (2007-2010), além dos elementos que já estavam em curso, a política de investimentos públicos e das estatais, que estimulou o investimento privado, foi o elemento chave. Por exemplo, a Petrobras aumentou seus investimentos de forma significativa, e houve os lançamentos do Programa de Aceleração do Crescimento (PAC) e do Minha Casa, Minha Vida. Em média, a economia passou a crescer 4,6% ao ano, apesar da aguda crise financeira americana que atingiu o Brasil em 2009.

A presidente Dilma enfrentou problemas em 2011 e 2012. No ano de 2011, houve pressões inflacionárias que impuseram ao governo a necessidade de desacelerar o crescimento. Entretanto, a economia brasileira mostrou que existiam gargalos de infraestrutura e que o ritmo de 2010 (crescimento de 7,5%) não era sustentável. Houve desaceleração conduzida pelo governo de 2010 para 2011.

Crescimento do PIB
(%)

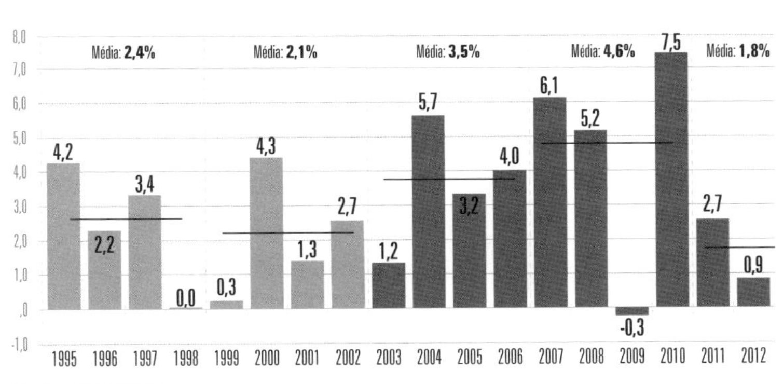

Fonte: SCN/IBGE.

Em 2012, o desempenho piorou: a economia iniciou o ano ainda com o freio de mão puxado. E a crise europeia chegou e contaminou o cenário, gerando no Brasil e no mundo expectativas empresariais de apreensão e receio em relação ao futuro. Sob estas condições, a economia atravessou o ano. Um ano em que governo e empresários não realizaram planos de investimentos que pudessem garantir crescimento satisfatório.

A presidente Dilma adotou medidas estruturantes da economia que podem garantir a retomada do crescimento. As tarifas de energia elétrica foram reduzidas, os bancos públicos entraram na concorrência via redução de taxas de juros e as desonerações fiscais já aplicadas aumentaram a capacidade de investimento do setor privado empresarial. E, além disso, o Banco Central se tornou muito mais "inteligente": não utiliza a taxa de juros como remédio único (e em doses cavalares) para manter a estabilidade monetária. Mas a lição já foi aprendida: o elemento chave do crescimento é o investimento público, privado e das estatais.

O crescimento médio durante o primeiro biênio do governo da presidente Dilma (que foi de 1,8%) fez o sinal amarelo da economia piscar. Os últimos dois anos de governos do PT e de seus aliados fizeram a economia moderar a série de bons resultados dos governos Lula.

Renda per capita 1995-2012
(R$ 1.000 de 2012)

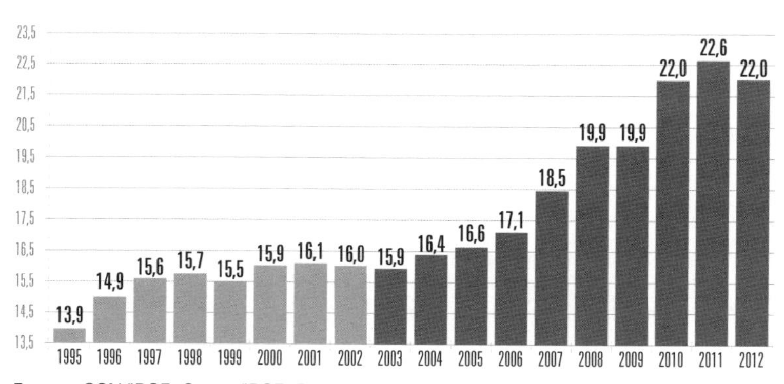

Fontes: SCN/IBGE, Censo/IBGE, PNAD/IBGE, CCN/FGV.

Apesar do modestíssimo crescimento durante o primeiro biênio do mandato da presidente Dilma, a taxa de desemprego se manteve baixa, os rendimentos dos trabalhadores continuaram aumentando e a renda per capita cresceu em relação ao período dos governos do presidente Lula. A conclusão é que os percalços da economia não contaminaram a trajetória social benigna do decênio 2003-2012.

Controlando a inflação

O balanço da atuação dos governos Lula-Dilma e seus aliados em relação ao quesito *manter a inflação sob controle* é positivo. Somente em 2003, a inflação ficou fora da meta estabelecida. Os governos do PT e de seus aliados foram bem-sucedidos em nove dos dez anos que governaram o país até o momento.

IPCA e Metas de Inflação

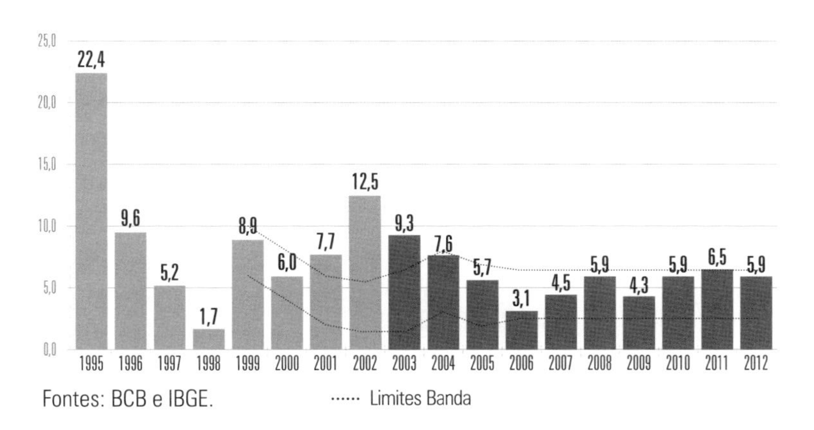

Fontes: BCB e IBGE.

O Brasil adotou o regime de metas para a inflação em meados de 1999, durante o governo de Fernando Henrique Cardoso. A inflação estourou a meta nos anos 2001 e 2002. O regime implantado em 1999 era muito simples: o Banco Central (BCB) seria o único organismo responsável por manter a inflação sob controle, teria somente esse mandato e também um único instrumento anti-inflacionário, a taxa de juros básica da economia. Tal regime era parte do receituário neoliberal cujas fórmulas são sempre simples e aparentemente neutras.

O regime de metas brasileiro mostrou que precisava sofrer adaptações. As experiências internacional e brasileira revelaram que a inflação é um fenômeno complexo, de causas variadas. O regime de metas, em sua configuração original, apontava como causa da inflação o crescimento econômico que geraria excesso de demanda e pressão sobre os preços. Nesse sentido, tinha como regra que o BCB deveria "tocar um samba de uma nota só": quando existisse algum tipo de pressão inflacionária a taxa de juros deveria ser aumentada imediatamente.

Taxa de Juros Selic

Meta no último dia do ano

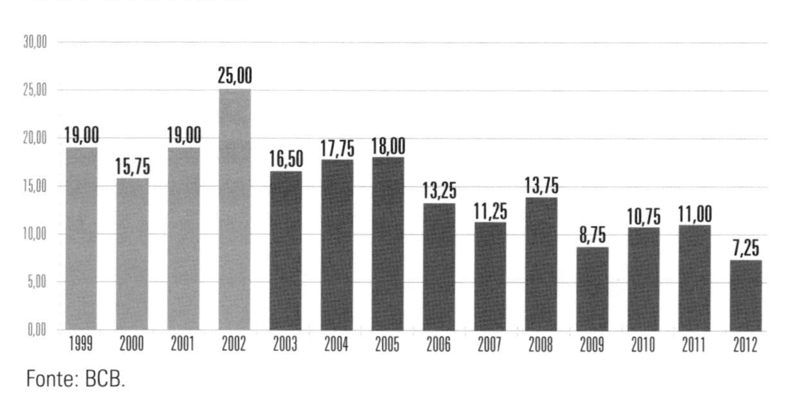

Fonte: BCB.

É preciso que seja dito claramente: a elevação da taxa de juros desaquece a economia, gera desemprego e, por último, adormece a inflação. Em 27-03-2013, a presidente Dilma afirmou que não é uma entusiasta dessas políticas: "... não concordo com políticas de combate à inflação que 'olhem' a questão do crescimento econômico, até porque temos uma contraprova dada pela realidade: tivemos um baixo crescimento no ano passado e um aumento da inflação, porque houve um choque de oferta por causa da crise e de fatores externos".

Utilizar somente a elevação da taxa de juros como instrumento anti-inflacionário obriga o Banco Central a utilizar o remédio em doses cavalares, o que mata a inflação e, também, a economia real: a inflação é reduzida, mas antes milhares de trabalhadores são jogados no desemprego. Complementou a presidente: "Esse receituário que quer matar o doente antes de curar a doença é complicado. Eu vou acabar com o crescimento do país? Isso daí está datado. É uma política superada".

Como a elevação de preços tem diversas causas, o combate à inflação não pode se restringir à utilização de um único instrumento, a taxa de juros, que possui um perverso efeito colateral. A inflação pode ser combatida, dentre outras maneiras, com a redução de tributos (por exemplo, os impostos sobre os bens da cesta básica), com estímulos à produtividade (por exemplo, qualificando a mão de obra) e com a redução de custos de produção (por exemplo, diminuindo as tarifas de energia elétrica).

A independência ou autonomia do Banco Central, que torna exclusiva a responsabilidade pelo controle da inflação, representa também o atraso, o passado. Época em que os fenômenos reais, sociais ou monetários eram analisados por uma única ótica. Os fenômenos econômicos são todos fenômenos sociais que merecem um acompanhamento interdisciplinar e interministerial: um acompanhamento de todo o governo, inclusive da presidência.

É fato que o Brasil não precisa ter uma taxa de juros elevada para ter uma inflação controlada. Isso foi provado nos últimos anos: houve queda da taxa de juros básica (a taxa Selic) e controle inflacionário. O Brasil também não precisa gerar desemprego e reduzir a massa salarial para ter preços bem-comportado. Nos últimos tempos, empregos e salários subiram.

Neoliberais rejeitam a política bem-sucedida de controle da inflação dos governos Lula e Dilma. Para eles, sempre é melhor uma taxa de juros maior do que uma taxa menor. Aqui neoliberais revelam de que lado eles estão: com juros elevados, trabalhadores ganham o desemprego e banqueiros, mais rendimentos e lucros. Nesse jogo há perdedores e ganhadores. Não há a neutralidade das políticas anti-inflacionárias decantada por neoliberais.

Para camuflar de que lado estão, ensaiam sempre o seguinte argumento: "quem mais perde com a inflação são os pobres que não podem proteger seus parcos recursos no sistema financeiro". É verdade, mas é igualmente verdade que a experiência tem mostrado que usar a taxa de juros com parcimônia pode auxiliar a manter a inflação sob controle, além de não provocar desaquecimento econômico e desemprego relevantes.

Por último, cabe ser destacado que essa sensibilização com a vida dos pobres não combina com o DNA dos neoliberais brasileiros. O que eles querem de fato são juros maiores, mais rentismo e lucros financeiros.

O investimento: peça chave do desenvolvimento

O crescimento econômico de qualidade necessita ser impulsionado pelo investimento. Por exemplo, o investimento público em transportes pode melhorar a qualidade de vida da população. Mais: quando um empresário investe em máquinas e equipamentos que aumentam a produtividade do seu negócio, isto é, quando há uma diminuição de custos, então poderá haver redução de preços e poderá haver aumento de salários dos seus empregados. Além disso, o aumento da produtividade aumentará a capacidade do empresário de realizar novos investimentos. Portanto, os ganhos advindos da redução de custos podem ser divididos entre trabalhadores, consumidores e empresários.

Ademais, o aumento do investimento qualifica o crescimento econômico porque pavimenta a trajetória que possibilitará a continuidade do próprio crescimento da economia. Em outras palavras, o investimento numa hidroelétrica possibilitará a geração de mais energia que, por sua vez, possibilitará a instalação de novas fábricas consumidoras de energia. Logo, o investimento não somente impulsiona o crescimento de hoje, ele também abre a possibilidade para que haja mais crescimento com novos investimentos no futuro. Esta possibilidade de haver maior crescimento de forma contínua é chamada de PIB potencial — que é quanto uma economia pode crescer sem esbarrar em gargalos.

Durante a gestão econômica do presidente Fernando Henrique Cardoso (1995-2002), os investimentos públicos e privados eram baixos. As causas do fraco investimento eram variadas. Primeiro, investimentos do governo não combinavam com a visão de Estado mínimo: investimento público era sinônimo de intervencionismo. Segundo, faltavam recursos orçamentários: devido à falta de crescimento as contas públicas apresentavam resultados desastrosos. Terceiro, como não havia expectativas de crescimento mais robusto da economia, os empresários preferiam participar da especulação financeira a construir novas fábricas.

Houve a retomada dos investimentos na gestão do presidente Lula. As barreiras ideológicas, orçamentárias e as expectativas negativas foram superadas. O lançamento do PAC (Programa de Aceleração do Crescimento), em 2007, é o marco da virada ideológica. Foi naquele momento que o governo explicitou à sociedade que é dever do Estado organizar grandes projetos e realizar investimentos vultosos. O governo e as estatais federais passaram a investir. E a economia, que já tinha dado o primeiro salto entre 2004-2006, passou a crescer em média 4,6% ao ano até 2010. Com mais crescimento, houve aumento da arrecadação e folga orçamentária para a realização de gastos públicos com novos investimentos. E com expectativas positivas sobre a economia, os empresários voltaram a investir no mundo real.

O baixo crescimento de 2011 e 2012 adormeceu as expectativas empresariais. De 2007 a 2010, o investimento crescia duas a três vezes o crescimento de toda a economia. Em 2011, devido à desaceleração da economia provocada pelo governo, o investimento cresceu apenas 4,7%. Cabe lembrar que, em 2010, havia crescido 21,3%. Em 2012, o cenário de desaceleração foi contaminado pelo pessimismo espalhado pela crise econômica europeia e o investimento teve um desempenho negativo de 4%.

A reversão do quadro de expectativas empresariais estabelecido em 2011 e 2012 depende da realização dos investimentos públicos planejados e de liderança política. A realização do investimento público estimulará o investimento privado porque estabelecerá condições de redução de custos empresariais e porque reduzirá incertezas de demanda futura. Já a liderança política oferece garantias aos empresários de continuidade dos investimentos públicos e do baixo desemprego.

Na Era Lula, o investimento público foi elevado de 2,6% do PIB para mais que 4%, o que é significativo, pois o Estado brasileiro tinha sido praticamente desmontado. A trajetória de recuperação do investimento público é uma necessidade da economia brasileira.

Investimento Público*
(% PIB)

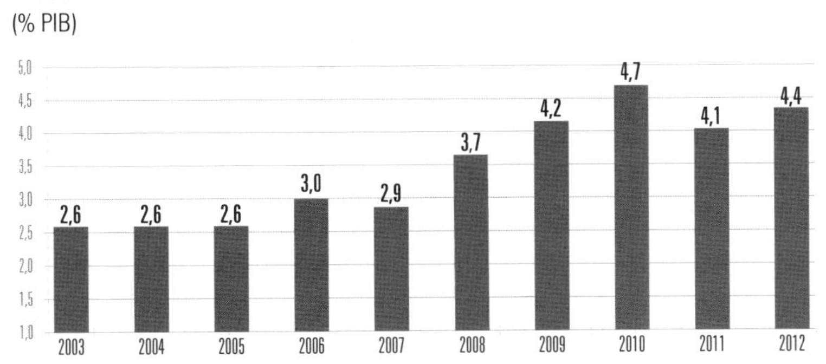

* Inclui Investimentos realizados pelos Governos Federal, Estaduais e Municipais e Estatais federais.
Fonte: SCN/IBGE.

Por último, não é verdade que a Era Lula foi caracterizada por um modelo de estímulo exclusivo ao consumo. Foi também. E foi exatamente o crescimento do consumo associado ao aumento do investimento público, sustentado pela liderança política do presidente, que estabeleceram um modelo de crescimento com qualidade econômica (elevado investimento total = público + privado), distribuição de renda e inclusão social.

Crescimento do Investimento
(% variação anual)

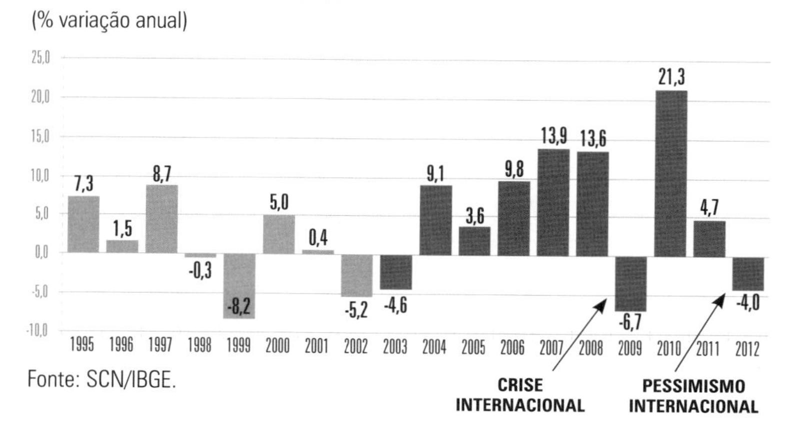

Fonte: SCN/IBGE.

Dez anos que abalaram o Brasil

Não é novidade que a elite brasileira não pensa no país, incluindo aí o personagem central: o povo. A elite brasileira é conservadora nos costumes e somente têm interesses econômicos que visam à formação de patrimônio. Lambuzam-se com apartamentos e outras propriedades que possuem no exterior (isto é, nos Estados Unidos e na França, principalmente). Consideram o Brasil apenas um quintal onde ganham muito dinheiro.

Um amigo, certa vez, contou uma ilustrativa passagem sobre a elite brasileira. Contou que seu pai conhecera um banqueiro, nos anos 1950, que havia dito que "gostaria de construir um grande banco dentro de um grande Brasil, com B maiúsculo". Este banqueiro faleceu. Então, o meu amigo disse que se dirigiu ao filho do banqueiro, herdeiro e proprietário do banco, e lhe perguntou:

— Você concorda com o seu pai?

Ele respondeu de forma enfática e em voz alta:

— Sim!!! Quero construir um grande Banco, com B maiúsculo.

O Brasil e o seu povo não fazem parte do vocabulário da elite brasileira. Portanto, nunca fizeram parte da história oficial contada pelas elites e nem tão pouco das suas preocupações. Esses dez anos de governos do PT e de seus aliados colocaram o povo como personagem central da história. Portanto, são Dez Anos que Abalaram o Brasil.

Existem muitas passagens para mostrar porque o povo voltou ao centro do palco. São famílias que compraram a sua primeira geladeira. Famílias que conquistaram a sua casa própria. Famílias cujos dois filhos ingressaram numa universidade pública por meio de uma quota social. Mas uma passagem é simbólica e ilustrativa do Brasil dos dias de hoje.

Era uma vez, um fato real... um casal de idosos viajava de avião do Rio de Janeiro para Fortaleza. A senhora falou orgulhosa para a comissária que aquela era a sua primeira viagem de avião, aos setenta e quatro anos. A comissária se emocionou e se colocou à disposição para ajudar no que fosse necessário. Estavam na janela e meio, no fundo do avião. No corredor, estava sentada uma representante da elite nordestina. Estava coberta de joias, roupas de grifes e óculos escuros. Era aloirada e tinha cabelos lisíssimos.

O casal de idosos falava muito. Eles estavam alegres e um pouco apreensivos. Depois que o avião decolou, a senhora tirou de uma sacola plástica uma maça e ofereceu ao marido. Ele comeu e perguntou para a comissária onde era a lata de lixo para jogar o resto da sua maçã. A comissária resolveu. Depois pediu ajuda da comissária para abrir a porta do banheiro. Tentaram puxar assunto com a loiríssima:

— a senhora mora em Fortaleza?

Resposta:

— sim.

Insistiram:

— a senhora gosta de viajar de avião?

A resposta:

— sim.

Incomodada, a loiraça nordestina mudou de poltrona e fez o seguinte comentário: "viajar de avião no Brasil tá ficando complicado, qualquer dia nem pra Europa vai se viajar com sossego". O sotaque era forte, não conseguiu aloirá-lo também.

Moral da história: o povo entrou em cena, incomodou a elite e a comissária trabalhadora gostou e sorriu.

CAPÍTULO 3

Conversando com a base aliada

Os partidos progressistas e de esquerda precisam de aliados para governar, para ter maioria no Congresso. Alguns são aliados por interesses particulares e conveniência eleitoral. Governar com esses partidos é uma tarefa difícil, governar sem eles é uma tarefa impossível.

Certamente, o Brasil avançaria mais rápido se pudesse contar com uma base aliada de partidos e parlamentares progressistas e de esquerda, mas esta possibilidade não existe. O Congresso Nacional é uma representação da sociedade brasileira. Nossos políticos não vieram de marte. Se são honestos, já eram honestos antes de serem eleitos. Se não são, já não eram antes de chegar ao parlamento ou ao governo. Se muitos são de direita e conservadores, foram eleitos pelo povo.

Muitos reclamam, com razão, da eleição deste ou daquele presidente do Congresso ou de uma comissão parlamentar. Suas críticas são corretas. Mas o alvo das críticas foi eleito pelo povo e no parlamento são eleitos por deputados e senadores também eleitos pela sociedade. A sociedade votou em quem está lá no parlamento. Felizmente, é assim.

A sociedade deve discutir mais política e não menos. O nojo da política criado pela mídia dos barões é a causa do conservadorismo e, até mesmo, da corrupção. O voto descompromissado ou indiferente (todos são iguais) é o que abre a porta para o atraso. E, ademais, escancara portas para a eleição de políticos que se utilizam da função para satisfazer sentimentos e vontades patrimonialistas.

A base aliada do governo é uma miscelânea, tem de tudo. Mas há na base aliada políticos que têm projeto, que sabem o querem para o país e para sociedade. Em todos os partidos da base, já que seus integrantes não vieram de marte, tem gente que pensa o país e gente que não tem projeto algum.

A história do Brasil, nossos últimos 90 anos, foi marcada pela luta daqueles que tinham projetos audaciosos, de confronto com as elites conservadoras. Muitos foram os partidos, organizações de esquerda e personagens que escreveram a nossa história. Estas vertentes políticas sempre tiveram projetos de desenvolvimento nacional, social e cultural. Tentando resgatar o que há de melhor na história política brasileira, escolhemos três vertentes da base aliada para uma conversa: o comunismo de João Amazonas e Luiz Carlos Prestes, o trabalhismo de Leonel Brizola e o socialismo de Miguel Arraes.

Acreditamos que escolhemos as pessoas certas: Renato Rabelo, presidente nacional do PC do B, Roberto Amaral, vice-presidente do PSB, a deputada Juliana Brizola e

Eduardo Costa, representantes do PDT de Leonel Brizola. Além do PT de Lula, estes partidos ou vertentes políticas representam a nata da história de lutas do povo brasileiro.

1) Qual o balanço que seu partido faz dos governos do PSDB (de 1995 a 2002)?

RENATO RABELO — A trajetória percorrida pelos dois governos de Fernando Henrique Cardoso foi marcada por sucessivas crises, autoritarismo, corrupção, injustiças e agravamento dos problemas estruturais brasileiros. Os acordos assinados com o FMI — lesivos à soberania nacional — impuseram pesados ajustes fiscais e uma agenda de reformas neoliberais. Na verdade, foram antirreformas, de conteúdo regressivo, que promoveram cortes em conquistas políticas, econômicas, sociais e culturais do povo brasileiro. Essa "herança maldita", assim chamada, é o resultado de uma década em que o tecido social brasileiro foi rompido pela extinção de 12 milhões de empregos. Época de privatizações onde o patrimônio público foi vendido à custa de empréstimos oficiais de bancos como o BNDES e o Banco do Brasil — com a justificativa de utilização dos recursos para a redução da divida pública. Na realidade sucedeu o contrário. Ressalte-se que a relação dívida/PIB em 1995 era de 30,2%, chegando em 2002 a 55,9%. País insolvente, suas reservas cambiais não existiam nessa ocasião. O passivo externo líquido passou de US$ 205 bilhões, em 1995, para US$ 399 bilhões, em março de 2001. O pacto federativo foi proscrito com a explosão das dívidas dos estados e municípios com o próprio governo central. Em 1995, havia um débito dos estados de R$ 49 bilhões, chegando a R$ 175 bilhões no final de 2002. O Brasil literalmente quebrou três vezes nas mãos de FHC.

Desmoralizado, não é difícil perceber que FHC só goza de prestígio em meios suspeitos, como o da mídia conservadora e em casamentos de filhos de banqueiros. Pessoa não grata entre o povo, seu prestígio no meio da massa é a outra face da moeda da "herança maldita", antinacional e antipopular.

JULIANA BRIZOLA — Um governo desastroso de lesa pátria conforme manifestações de nosso líder Leonel Brizola. O PDT chegou a ir às ruas para questionar a política de privatizações de FHC, lembrando que ele não havia dito na campanha eleitoral que faria isso. Coletamos assinaturas populares pedindo o seu impeachment por essa razão.

De outro lado a política de estado mínimo — restringindo inclusive a realização de concursos públicos, exceto para grupos seletos na área de justiça, por exemplo, e a pressão sobre os servidores públicos, sem aumento e com estímulos a se aposentarem, demoliu a capacidade de dar resposta a problemas do país na área de educação e saúde.

Restrição ao crédito e taxas de juros que chegaram a 45% desestimularam o investimento produtivo.

Abertura comercial, com lei de patentes que aceitou o *pipeline*, e declaração explícita de que o país não devia ter política industrial, derrotou as possibilidades de retomada industrial mais tarde. Reajustes modestos do salário mínimo, criação do fator previdenciário, mudança no regime de aposentadorias do setor público foram todas medidas recessivas e contra a economia popular. O país não cresceu e deixou um saldo de 12 milhões de desempregados. E ainda legou um esquema de financiamento escuso de campanhas eleitorais e cooptação de parlamentares para que pudesse ser reelegível. Um desastre de proporções catastróficas.

ROBERTO AMARAL — Fomos-lhe oposição do primeiro ao último dia, e, passados dez anos de seu réquiem, não temos autocrítica por fazer. Se ao governo Itamar Franco devemos o Plano Real, ponto de partida para a estabilidade monetária, os anos FHC se caracterizaram pelo desinvestimento, pelas privatizações predatórias de setores estratégicos, pelo desmantelamento da universidade pública, pela desorganização da estrutura produtiva, pela liquidação da infraestrutura logística. No plano externo seu legado foi uma política de submissão ao Império e dela nada fala melhor do que seu Ministro das Relações Exteriores tirando os sapatos para poder ingressar em Washington. A carga simbólica de tal gesto dispensa uma prateleira de teses de doutorado na USP. Em 2002, o país estava virtualmente falido. Em janeiro de 2003, quando Lula toma posse, a inflação chegara ao patamar de 12,53% e a dívida externa era de US$ 165 bilhões. Éramos presa do FMI e da banca internacional, que de fato nos governavam. E ao fim e ao cabo um país cansado, sem autoconfiança, desesperançado. Envilecido.

2) Qual o balanço que seu partido faz sobre a trajetória social e econômica brasileira dos últimos dez anos (os governos Lula e Dilma)?

RENATO RABELO — Com a eleição de Luiz Inácio Lula da Silva, em 2002, tem início um novo ciclo político na história do Brasil, constituindo-se um governo democrático e progressista em nosso país. O PCdoB elencou um conjunto de vitórias, ainda parciais, do governo que representava, mesmo que de modo contraditório e gradual, a transição que estava em curso e a resistência ao neoliberalismo que vinha sendo empreendida.

Neste sentido, foi aplicada uma nova orientação na política externa brasileira, mais afirmativa e de defesa dos interesses nacionais, relacionando-a com o projeto de integração regional e uma ampla inserção internacional; refutou-se com firmeza o projeto neocolonial da Alca; foi retomada a valorização do Estado Nacional, com o fortalecimento dos bancos públicos e das empresas estatais, estabeleceu-se a readequação da autonomia e do papel das agências reguladoras e foi adotado um novo modelo de produção de energia com papel destacado do Estado. As pressões do FMI e da oligarquia financeira para institucionalizar a independência do Banco Central do Brasil em relação ao sistema financeiro internacional foram rechaçadas e em março de 2005 o governo decidiu não renovar o acordo com o FMI.

Na esfera democrática o governo constituiu o Conselho de Desenvolvimento Econômico e Social (CDES) com uma composição representativa da sociedade e realizou conferências temáticas para contribuir com a elaboração de políticas públicas para as mais diversas áreas. Os trabalhadores, através de suas centrais sindicais, no final de 2006, concretizaram uma importante negociação com o governo e estabeleceram que o salário mínimo passasse a ser reajustado com base na inflação e na variação do PIB, fortalecendo o mercado interno.

No plano econômico e social mais de 30 milhões de pessoas foram retiradas da linha da pobreza, e o desemprego chegou ao seu menor patamar histórico. Os movimentos sociais deixaram de ser criminalizados. Já no governo da presidenta Dilma Rousseff, o processo de mudança do modelo macroeconômico ganhou impulso, com o início da política de queda da taxa de juros. Ao lado desta determinação, o governo impôs uma ampla concorrência no mercado de crédito ao setor financeiro privado e partiu para uma queda acentuada na taxa de juros praticada pelos bancos públicos. A taxa de câmbio tem sido lentamente desvalorizada. O governo continua tomando medidas para enfrentar os reflexos da crise do capitalismo em nosso país, reduzindo o preço das contas de luz no plano doméstico e para as indústrias também. Foi desonerada a cesta básica para os mais pobres e vários produtos industrializados da linha branca e automóveis tiveram impostos reduzidos.

JULIANA BRIZOLA — O PDT, depois de ter participado numa chapa de oposição em 1998 (Lula para presidente e Brizola para vice), em 2002, por considerar que a Carta ao Povo Brasileiro do PT não satisfazia as propostas do PDT e considerar pequenas as possibilidades de vitória de Lula — era sua quarta tentativa — não apoiou sua candidatura inicialmente, mas sim a de Ciro Gomes, que tinha uma proposta mais firme em relação às questões econômicas. Quando esta candidatura começou a perder o apoio popular e passa a crescer a de Lula, Brizola, depois de tentar convencer Ciro a desistir, resolve desembarcar e apoiar a candidatura do PT, crente que poderíamos ajudar a definir as eleições no primeiro turno. A preocupação com a manipulação da mídia e eventual fraude eletrônica não se confirmou: o desastre de FHC tirou as possibilidades eleitorais de Serra no segundo turno contra Lula, este já apoiado formalmente pelo PDT.

Essa introdução é importante, porque depois de tentar influenciar os rumos do governo do PT, o PDT resolve mais uma vez se afastar. O que levou a essa posição? A ida imediata de Lula a Bush depois de eleito e a volta com a definição de Henrique Meirelles para o Banco Central e logo a manutenção inicial de todas as políticas macroeconômicas de tipo neoliberal, simbolizada pelo "sucesso" de Palocci. De outro lado, a falta de um efetivo Conselho Político com Presidentes dos partidos da coligação e, por último, a decisão de nomear ministros do partido sem que esse fosse consultado, precipitaram a decisão. Mas, além disso, o governo pretendeu, com uma Reforma da Previdência, arrochar mais os critérios e valores da aposentadoria, em cuja defesa o PDT se articulou com outras forças. O PDT sai do governo antes da morte de Brizola, em junho de 2004, e do escândalo do mensalão, absolutamente limpo do episódio.

Todavia, a ida de Dilma para a Casa Civil começou a criar no PDT uma visão positiva em relação ao Governo, pois abriu-se uma frente desenvolvimentista. Além disso, cresce dentro do PT o respeito ao legado de Vargas, quando o poder da mídia e dos conservadores ameaça a governabilidade — tudo contribuindo para novas possibilidades políticas de apoio ao Governo Lula.

De fato, na eleição de 2006, após o primeiro turno, o PDT passou a apoiar e participar de novo da coligação com o PT, assumindo o Ministério do Trabalho e Emprego.

O apoio à candidatura de Dilma, já no primeiro turno em 2010, é natural, especialmente considerado o balanço positivo para os trabalhadores e para a economia com a mudança de rumos em 2005-6. Se em 2006 a política social era a maior determinante do apoio popular ao Governo Lula, com destaque para o Bolsa Família, o reconhecimento do segundo governo Lula se dá por uma política mais consistente: redução de taxas de juros (de resto, acontecendo em todo o mundo) e liberalização do crédito, que serviram de estímulo ao consumo, além da melhoria significativa na massa salarial pelo aumento do emprego e elevação do valor real do poder aquisitivo do salário mínimo. Também no setor público há uma reversão sendo realizados concursos públicos. E é ampliado o PAC da infraestrutura conduzido por Dilma. Por fim, a descoberta do pré-sal e a mudança nas regras visando assegurar maior poder à Petrobras, vieram ao encontro das propostas históricas do trabalhismo brasileiro.

Mas, a criação de 14 milhões de emprego formais nos oito anos do Governo Lula, de 2003-2010, por si só tinha de levar o apoio de um partido trabalhista. Mas havia mais: o estímulo à formalização do emprego com elevação para mais de 50% de trabalhadores com carteira assinada.

O Governo Dilma deu continuidade a essas políticas, ampliando as conquistas econômicas e sociais dos trabalhadores.

Todavia, o PDT ainda considera que é necessária uma ruptura maior com grandes entraves ao desenvolvimento que, ainda que estivessem na pauta, avançaram bem menos do que esperávamos. A modernização que defendemos é o trabalho saudável, a jornada de 40 horas semanais, o fim do fator previdenciário. A coligação governamental provou que aumentar salários não aumenta o desemprego, não diminui a competitividade.

ROBERTO AMARAL — Nos oito anos de Lula o desempenho econômico foi o carro-chefe dos notáveis avanços sociais, um e outro avanços animados pela conjuntura internacional favorável, da qual o presidente sabiamente soube tirar proveito. A opção pelos pobres tem aspectos revolucionários e talvez fique por muitos anos como legado irrevogável mesmo em face de eventuais governos conservadores. Ao lado dos reajustes do salário-mínimo, um tabu quebrado, os projetos sociais como o Bolsa Família, Minha Casa minha Vida, Luz para Todos e o Pro-Uni (este associado à política de cotas para ingresso nas universidades públicas), constituem processos sem precedentes de distribuição de renda.

O governo da presidente Dilma enfrenta a grave crise do capitalismo internacional, erodindo as economias da Europa e dos EUA e mesmo reduzindo o nível de crescimento da China. Havíamos sido beneficiados pela abertura para os mercados asiático e sul-americano e pela baixa exposição internacional, mas a globalização nos cobrou o alto preço da queda da taxa de expansão do PIB. Passamos a crescer menos que na média dos primeiros oito anos do governo de centro-esquerda. Nada obstante, foram mantidos por Dilma os avanços sociais, e a presidente, corajosamente, ainda interveio nas políticas de juros e de crédito, promovendo a queda daqueles e ampliando a oferta de recursos dos bancos estatais (os poucos que escaparam da privatização tucana) na abertura de crédito ao consumidor. E ainda teve fôlego para conter a sobrevalorização do real, que destruía nossa competitividade no mercado internacional e escancarava o mercado interno em face de um verdadeiro tsunami cambial.

3) Qual a contribuição que o seu partido deu para o projeto de desenvolvimento implantado no país nos últimos dez anos?

RENATO RABELO — Desde o início do primeiro mandato de Luiz Inácio Lula da Silva, o PCdoB vem contribuindo com ideias programáticas e lideranças com responsabilidade de governo para o êxito deste novo ciclo político, compreendendo que pela primeira vez se apresentava a possibilidade de um novo projeto democrático nacional-desenvolvimentista, de cunho progressista, dirigido por forças políticas e sociais democráticas e populares. O partido se pautou sempre por impulsionar os sucessivos governos da Era Lula, no curso do avanço democrático, soberano, do progresso social e da integração solidária da nossa região. Convidado por Lula, nosso partido assumiu o Ministério do Esporte, que na época fazia parte apenas de um ministério que conjugava Esporte e Turismo. Na verdade o Ministério teve que ser praticamente construído, estabelecendo-se políticas públicas próprias e estrutura administrativa. No comando deste Ministério, o PCdoB contribuiu decididamente para trazer para o Brasil dois dos maiores eventos internacionais, como a Copa do Mundo de 2014 e as Olimpíadas de 2016.

O Partido assumiu também a pasta ministerial da Secretaria de Coordenação Política e Relações Institucionais do Governo Lula, no período de 2004 a 2005. Foi quando setores conservadores apoiados pela grande mídia provocaram uma longa crise política, tendo como pretexto o combate à corrupção e a defesa da ética, que se arrastou do início de 2004 até seu ápice em 2005. Esta crise somente foi superada com a reeleição do presidente Lula, em 2006. Essa avalanche moralista e golpista levou de roldão o núcleo dirigente do PT na ocasião e parte da cúpula do governo.

O PCdoB, então, explicitou sua visão crítica acerca dos erros cometidos, e sem vacilar denunciou a manobra golpista da oposição e conclamou a base aliada, o povo e seus movimentos sociais, a se levantarem em defesa do mandato do presidente Lula, que, por sua vez, trocou o gabinete presidencial e procurou mobilizar o povo para desmascarar a trama da oposição. O PCdoB lançou a palavra de ordem "Fica Lula", e os comunistas à frente dos movimentos sociais saíram às ruas contra o "golpe branco" que estava em marcha e em defesa da ordem democrática. A eleição de Aldo Rebelo (PCdoB-SP), em setembro de 2005, para a presidência da Câmara dos Deputados, levantou a barreira de contenção à sanha golpista e daí por diante, paulatinamente, o governo retomaria o controle da situação.

O Partido, em seguida, levantou a bandeira de reformas estruturais necessárias para se avançar em um novo projeto nacional de desenvolvimento. Na concepção do PCdoB, as reformas devem ter caráter estrutural, democrático e progressista, como a reforma política ampla que assegure o pluralismo partidário, com financiamento público exclusivo de campanhas e listas partidárias; a reforma nos meios de comunicação de massas, com a democratização da mídia; a reforma da educação voltada para a construção do sistema nacional de educação de qualidade; a reforma tributária de sentido progressivo para superar os privilégios socioeconômicos dos setores dominantes; a reforma agrária que vise a superar os poderosos interesses de grandes proprietários rurais; a reforma urbana, que busque a integração das cidades e contenha a especulação imobiliária; a reforma na área da saúde, para que se aplique de fato o Sistema Único de Saúde; garantir os direitos conquistados pelos trabalhadores e suas organizações sindicais, principalmente a valorização do salário mínimo; a defesa do meio-ambiente e de todos os biomas do país, combinando desenvolvimento com preservação ambiental; a adoção de uma política de segurança pública constituída em um único sistema nacional, voltada para ações prioritariamente preventivas; e ainda mais, defender e ampliar a democratização do Judiciário e pelo seu funcionamento independente e ágil. Todas essas questões e outras de aspecto conjuntural foram levadas ao conhecimento do governo através de reuniões diretas com a presidência da República, ou através da participação de líderes do partido no Conselho da República.

Por fim é preciso ressaltar outras bandeiras que o PCdoB defendeu durante este período, como a luta pela queda das taxas de juros Selic, do Banco Central. O partido insistiu em programas de rádio e televisão e através do movimento sindical e vários movimentos populares a necessidade de não se absolutizar um único instrumento — a alta da taxa de juros básica da economia — para se combater a inflação. Seria preciso trabalhar com outros instrumentos de política monetária, medida que foi assumida pela direção do Comitê de Política Monetária do BC. Outra questão pela qual o partido se bateu foi contra o fim das coligações proporcionais, que prejudica o pluralismo partidário no Brasil, e que é de interesse apenas dos chamados grandes partidos.

O PCdoB trabalhou com grande afinco na formulação de políticas públicas, especialmente na área da saúde e da educação, quando conquistou o país para a ideia de 10% do PIB para a educação, com a mobilização das mais importantes entidades dos estudantes brasileiros, a UNE e a Ubes. Também na esfera da produção de petróleo, o partido, quando dirigiu a Agência Nacional de Petróleo, ANP, contribuiu decisivamente para a formatação do marco regulatório da exploração do petróleo no Brasil. E assim foi igualmente a atitude do PCdoB na direção da Agência Nacional de Cinema e Audiovisual, a Ancine, multiplicando as possibilidades de produção e distribuição de filmes nacionais. No Ministério da Cultura, especialmente durante a gestão do ex-ministro Gilberto Gil, o partido formulou e desencadeou um programa vitorioso que foi o dos "Pontos de Cultura", tornando mais acessível a milhares de brasileiros as possibilidades de criar e participar de projetos culturais nos mais diferentes rincões do território pátrio.

JULIANA BRIZOLA — Na primeira fase, foi o que chamamos de apoio crítico. Quem conhecia o PDT sabia que a crítica não levaria jamais o PDT para o outro lado.

Ajudamos a mudar o rumo do Governo em 2005 — não temos dúvida quanto a isso, do lado de fora. Brizola pessoalmente foi às ruas contra a ingerência americana no mundo, por exemplo.

A pressão por um projeto educacional de base esteve sempre presente. Por isso também o senador Cristovão deixaria o Governo no segundo mandato de Lula.

No Ministério do Trabalho, a política voltada para a juventude tem uma forte contribuição do PDT, bem como a melhoria do sistema de informação sobre o emprego. Avançamos também na concepção do campo de atuação voltado para a saúde e segurança no trabalho.

A atividade do MTE no caminho da erradicação do trabalho infantil e do trabalho análogo ao escravo foram marcas do processo civilizatório nas relações de trabalho no Brasil.

A presença do PDT no Conselho do BNDES e a gestão dos recursos do FAT e do seguro desemprego não obstaculizou a implementação das diretrizes do Governo, ao contrário, ainda que numa visão histórica do trabalhismo pudéssemos ter avançado mais.

Foi ainda, na gestão pedetista do MTE, que se amplia o diálogo social e a efetivação do tripartismo originário da OIT.

No campo parlamentar específico a atuação do deputado Brizola Neto e seu "blog" — Tijolaço — foram instrumentos do projeto de desenvolvimento com soberania nacional.

Mas o mais importante é que nos transformamos em um obstáculo para as propostas de revisão da CLT lesiva aos direitos estatuídos dos trabalhadores, que tinha simpatia de amplos setores do PT.

ROBERTO AMARAL — Parto do pressuposto segundo o qual o fator fundamental para o projeto desenvolvimentista, ainda sob o fogo do reacionarismo, foi a derrota do neoliberalismo em 2002, derrota que começou a ser gestada em 1989, com a notável Frente Brasil-Popular, da qual o PSB foi um dos principais fundadores. Ora, fizemos com denodo as campanhas de Lula nos dois turnos de 1989, em 1994, em 1998, no segundo turno de 2002, nos dois turnos de 2006; apoiamos Dilma nos dois turnos de 2010. Permanecemos na base do governo, lealmente, durante todos esses anos; nos governos Lula ocupamos o Ministério da Ciência e Tecnologia; no governo Dilma estamos gerindo o Ministério da Integração e a Secretaria dos Portos. Temos tentado o debate crítico com as demais forças da esquerda socialista. Seria isso contribuir?

4) Além dos três ou quatro partidos que fazem oposição ao governo, que outros setores ou instituições compõem a oposição? E qual é o projeto da oposição?

RENATO RABELO — O Estado nacional no qual o jovem governo se assentava a partir de 2003 fora moldado, talhado, para servir a outro projeto e outro bloco de forças; e, obviamente, sua estrutura, burocracia, institucionalidade se mantinham intactas e hostis. É certo que a direita neoliberal, apeada do governo, amargava uma derrota e diminuíra seu poder de ação. Ao mesmo tempo, havia um amplo respaldo ao governo que assumira, do campo popular e parcelas das camadas médias e mesmo de setores importantes da burguesia. Tanto Lula, quanto Dilma Rousseff, ao aplicar as políticas de desenvolvimento com distribuição de renda, de fortalecimento da infraestrutura nacional, de projeção soberana do Brasil no plano das relações internacionais, de integração dos povos da América Latina, de constituição dos BRICs, da UNASUL e das medidas que estão permitindo ao país enfrentar esta prolongada crise do capitalismo que já perdura por mais de cinco anos, construíram um patrimônio político inigualável de respaldo junto à opinião pública nacional. Este fato cria enormes dificuldades para a oposição, que não encontra substância para construir uma plataforma alternativa à atual política do governo.

No entanto, com o irrestrito apoio de uma imprensa monopolizada e a serviço de interesses conservadores e reacionários de nossa sociedade, essa oposição tenta dividir o campo governista, promovendo a cizânia e atacando violentamente — sem direito de resposta — os que mais se empenham em apoiar o governo e suas iniciativas. Vai se constituindo, portanto, um verdadeiro sistema de oposição, com expressão partidária minoritária no Congresso Nacional, mas com o apoio extraordinário da grande imprensa comercial que lhes fornecem espaço, atacando os setores populares e mais avançados. Não se pode negligenciar neste sistema setores importantes incrustados no Ministério Público e na Justiça Federal, assim como forças estrangeiras com interesses poderosos no Brasil.

O principal partido de oposição, o PSDB, tenta sair de sua crise de identidade com muita dificuldade. Os tucanos se dizem arrependidos de ter renegado a herança de FHC na presidência de 1995 a 2002. Não está certo se o ex-candidato a presidente José Serra, que divide a liderança do seu partido com Aécio Neves, vai continuar a apoiá-lo. O PPS, que sempre acompanhou o PSDB, hoje está em dúvida e já ameaçou apoiar outro candidato à presidência da República. Formou-se recentemente o novo partido chamado da Mobilização Democrática, o MD, com a fusão PPS-PMN.

JULIANA BRIZOLA — A direita brasileira sempre teve sede no exterior. No Brasil existem sucursais. O principal modo com que atuam é "traduzindo" fatos e ideias internacionais de modo a fazer sentido para seus propósitos. Para isso recebem o apoio efusivo da grande mídia para sua difusão. Utilizam muitas palavras de ordem, tanto na área econômica como social para enganar. Perguntamos: o que quer dizer "mais verbas para a saúde"? Alguém pode ser contra? Mas quantos divulgam a mercantilização da medicina como um sério problema sanitário? Ou seja, mais verba para alimentar muitinacionais e o complexo médico--industrial dependente.

ROBERTO AMARAL — O principal partido de oposição, na verdade, é a imprensa. Não me refiro, tão-só, à chamada 'grande imprensa', pois a 'imprensa', mediante seus diversos meios, é um conjunto, um todo que funciona não apenas como cartel de empresas mercantis, mas como unidade ideológica goebeliana, professando o raivoso discurso da direita, que não raras vezes chega às raias do golpismo, como ocorreu em 2005. Ela, acima dos interesses nacionais, reflete o horror reacionário da classe dominante a tudo que cheire a povo, pois o combate não se dirige aos muitos erros de nossos governos, mas aos seus acertos, e aqueles que mais ofendem às nossas elites é a emergência dos interesses das grandes massas e o exercício de uma política externa que trocou o circuito Elisabeth Arden (os convescotes dos salões de Paris, Londres e Nova York) pelos nossos próprios interesses e o diálogo com a América do Sul, a África e a Ásia.

Não sei dizer qual é o projeto da oposição, e mesmo se ela tem projeto claro, pois, no momento, ela simplesmente reage, como o cão de Pavlov, aos estímulos dessa chamada grande imprensa. Sei apenas que longe dela, da oposição, estão os interesses nacionais e populares e o desenvolvimento autônomo. Permanece colonizada pela inevitabilidade da dependência, como um determinismo.

5) Qual o peso dos grandes veículos de comunicação no processo político brasileiro?

RENATO RABELO — A grande mídia e a direita neoliberal nunca engoliram a derrota de 2002 e, no fundo, não concebiam (e seguem não concebendo) que forças avançadas, tendo à frente do governo do país mais importante da América Latina primeiro um metalúrgico e agora uma mulher progressista com um passado de lutas revolucionárias em seu currículo. O velho estilo golpista da direita brasileira que levara Getúlio Vargas ao suicídio, que inspirara seguidamente contra Juscelino Kubistchek e derrubara, pelas armas, o presidente João Goulart, por uns tempos na hibernação, apenas aguardava um pretexto e o momento adequado para investir contra o mandato do então presidente Luiz Inácio Lula da Silva.

Temos que enfrentar o monopólio privado de um domínio que deveria ser predominantemente público da informação, pilastra fundamental do estado brasileiro. É impossível um aprofundamento democrático com apenas algumas famílias e/ou grupos que simplesmente se sentem capazes de subverter a subjetividade popular. Uma verdadeira oligarquia da direita controla as grandes redes de televisão e rádio, além da imprensa escrita. E esse poder se expressa na constituição objetivamente de um "partido golpista" capitaneado pela grande imprensa. Trata-se de um grande nó górdio cuja batalha poderá definir, estrategicamente, a face concreta da democracia do Brasil.

JULIANA BRIZOLA — A mídia brasileira quer pautar o governo. Criam muitos embaraços, pois se utilizam de setores da classe média que dão respeitabilidade social às suas versões. Postulam o que não praticam. E, mais grave, no

Brasil está concentrada em poucas empresas, ou pela ação de redes. Divulgam, por exemplo, que nem mesmo nos Estados Unidos se aceitaria que não se regionalizassem as empresas? Divulgam que lá não se permite que uma empresa tenha todos os tipos de mídia sob seu controle?

ROBERTO AMARAL — Relevante, principalmente na formação dos corações e mentes da classe média, com a qual as esquerdas não estão sabendo dialogar, seja por falta de discurso, seja por falta de veículo. Na verdade, é um discurso fechado, bumerangue. A imprensa goebeliana reproduz os valores das classes dominantes (nacionais e alienígenas) e discursa para a classe média, surdas e cegas, imprensa e classe média, para ouvir e ver o Brasil profundo, que no entanto emerge na cena política. Temo, porém, no longo prazo, as consequências da difusão unilateral do pensamento conservador, e lamento que esse fenômeno não preocupe nossos partidos, cuja prioridade é o imediatismo de uma ou outra eleição, o aqui e o agora. É um escândalo que não exista no Brasil uma imprensa de esquerda.

6) Qual o motivo que, até hoje, a esquerda e os setores progressistas não organizaram veículos de comunicação de grande porte?

RENATO RABELO — Durante este período de governos progressistas — a partir de 2003 — houve muita ilusão a respeito da importância de se estabelecer minimamente um marco regulatório para a comunicação e a imprensa no Brasil. Da mesma forma é permanente uma verdadeira campanha terrorista da grande mídia comercial que tenta sempre igualar o conceito de regulação como se fosse uma maneira velada de censura, o que é uma tremenda falácia. Grandes potências no mundo — como a Inglaterra e a França — já aprovaram em seus respectivos parlamentos marcos regulatórios para o funcionamento de empresas de comunicação que se utilizam do espectro público, como concessão, para a exploração comercial, assim como vários outros países europeus. Na América Latina, países como Argentina, Venezuela e Equador já aprovaram legislações que regulam o trabalho de imprensa e de comunicação no rádio e na televisão. O fato é que até hoje não conseguimos avançar muito além de uma conferência nacional sobre esta questão que se realizou no final do governo Lula. Está nas ruas, entretanto, um abaixo assinado para coletar cerca de um milhão e meio de assinaturas para um projeto de iniciativa popular que defende a regulamentação da comunicação, apoiado por vários partidos, inclusive o PT e o PCdoB.

Um segundo grande passo seria criar órgãos de imprensa que pudessem expressar a pluralidade de opiniões que já são representados pelas mais variadas agremiações partidárias e de outro tipo existentes na sociedade brasileira. O que vemos é um monopólio acachapante da possibilidade de disseminação de informação plural em nosso país. O próprio governo segue regras restritas de "mercado" na distribuição da propaganda oficial, seguindo critérios rigorosos neste caso apenas levando-se em conta o número de leitores e/ou de assinantes. Ou seja, toda a verba oficial vai para as grandes empresas que controlam o mercado, não ficando quase nada para a imprensa alternativa que luta pela sobrevivência. Isso sem falar, é claro, dos anunciantes comerciais, que somente anunciam na grande mídia. A tarefa de se construir uma imprensa progressista com capacidade de atingir milhões de brasileiros permanece em pauta hoje no Brasil. Apesar disso muitos lutadores, como os blogueiros que fazem um verdadeiro trabalho de guerrilha da informação, merecem nosso apoio.

JULIANA BRIZOLA — Cremos que o país carece de veículos de comunicação honestos, mas parece que no ambiente que as empresas existentes criaram, seria uma guerra difícil de vencer. As tentativas não vingaram e poucos esquecem o papel da Última Hora. Tivemos companheiros tentando fazer um jornal como foi o Espaço Democrático, mais tarde Tarso de Castro e outros tentaram um outro semanário.

O pior é que no Brasil as empresas que controlam a grande mídia não deixaram, na prática, que se criasse nem mesmo uma mídia estatal de peso na opinião pública. Nosso sonho seria ter uma BBC brasileira, uma EBC menos oficial. O modelo jurídico deve ser discutido e o apoio governamental é fundamental. A lei para controle social da mídia é uma prioridade.

ROBERTO AMARAL — Não sei, porque pode ser tudo, inclusive irresponsabilidade. Discuto essa omissão em todos os foros aos quais tenho tido acesso, discuto dentro de meu partido (que, aliás, renunciou a ter veículo próprio para dialogar com seus militantes). Não me falem em nossa fragilidade. Quando as condições de luta eram mais adversas, e os comunistas estavam na ilegalidade — nos anos 1950 e 1960 para não irmos mais longe — sustentamos veículos nacionalistas, de esquerda e mesmo comunistas (*Semanário*, *Novos Rumos*, *Voz Operária*, *O Metropolitano* dos estudantes do Rio) e uma imprensa independente, senão de esquerda, pelo menos progressista e antigolpista (*Última Hora*). Mesmo na ditadura, com censura e sem censura, circularam *Opinião*, *Movimento* e *Pasquim* e as revistas do Ênio da Silveira (*revista da Civilização Brasileira* e *Encontros com a Civilização Brasileira*) e a *Paz e Terra* do Gasparian. Passados dez anos de governo federal, e tantos anos de governos estaduais e importantes prefeituras progressistas, é inexplicável que não tenhamos um só veículo de massas em condições de quebrar o monopólio da fala reacionária. E nosso governo não tem tido o necessário apetite para proteger o que resta de imprensa popular, inclusive na blogosfera, e disseminar as rádios e tevês comunitárias. Demonstra, porém, para com os conglomerados de mídia que lhe fazem oposição cerrada, desonesta e até violenta, uma generosidade cuja explicação igualmente me escapa.

Saberá a esquerda reconstruir seu discurso conforme as realidades atuais e transformá-lo em vetor para a ação de massas?

7) Quais são os desafios dos governos nos próximos dez anos? Qual é o desejo ou a pauta da sociedade para os próximos anos?

RENATO RABELO — Nosso país terá de enfrentar dois desafios relacionados: as tendências à desindustrialização e, em grande medida, a desnacionalização. São dois fenômenos, no quadro da economia globalizada, que podem colocar em risco a própria sobrevivência do Brasil como uma nação capaz de ter vida própria, fruto tanto de uma taxa de câmbio que penaliza a nossa indústria e que gera um *dumping* do Estado sobre o próprio Estado, quanto de um volume de investimentos insuficiente. Para tanto, estima-se que — para atender às necessidades sociais latentes, a demanda interna e as exportações — deveria ser bem maior a dimensão do investimento, que se mantém reduzido.

O momento econômico brasileiro é marcado pelo esgotamento de um modelo cujo crescimento é pautado pelo consumo, ainda não conseguindo um crescimento puxado pelos investimentos. Sob uma perspectiva histórica, assistimos à exaustão do Plano Real e do tripé macroeconômico, cuja manutenção responde por si só à questão sobre a incapacidade do país de atingir um nível de pelo menos 25% na relação entre investimentos e o PIB. A institucionalidade criada (e ainda em pé) pelo Plano Real é antípoda de uma política agressiva de crescimento econômico direcionado pelos investimentos. Os problemas com a inflação não podem ser desprezados, e é fundamental mantê-la sob controle. Apesar disso, defendemos que o governo deva usar nesse controle vários instrumentos e não apenas a taxa básica de juros da economia, a exemplo da política fiscal, como o governo vem fazendo. A inflação é um fenômeno inerente ao capitalismo moderno em decorrência da flutuação desordenada da demanda e da oferta e na presença de moeda fiduciária e sem lastro o seu combate deve levar em consideração a relação custo/benefício. Políticas que absolutizem a inflação como única questão econômica podem trazer consequências negativas à sociedade e à própria economia de forma desproporcional.

O país, em 2013, é muito melhor e mais preparado para enfrentar seus desafios que o Brasil deixado por FHC, em 2002. Cabe às forças progressistas de nosso país não se acomodarem com os êxitos conquistados e se concentrarem no que é essencial. A encruzilhada ainda não foi superada. Grandes embates políticos estão diante de nós, dos trabalhadores e da Nação.

JULIANA BRIZOLA — O PDT considera que a educação de qualidade para todos é um desejo das pessoas e das instituições econômicas e sociais. Ainda que tenhamos avançado nesse sentido nos últimos dez anos, está longe de satisfazer a esses desejos. Isso demonstra a presença do analfabetismo estrito e funcional, número de anos na escola e qualidade do ensino no Brasil.

Em termos de continuidade da proposta desenvolvimentista, a questão seria explicitar e aperfeiçoar o PAC da infraestrutura com compromisso ambiental; além disso, reunir várias ações para formular: um PAC (TO) social: "Pleno emprego saudável para todos", e um PAC (TO) de desenvolvimento industrial soberano.

Não se pode deixar de mencionar um aspecto fundamental para o sucesso desses programas: participação popular. Teremos enfrentamentos com setores poderosos, inclusive transnacionais que, através da mídia, de parlamentares e governantes, e de seus métodos de coerção política internacional, exigirão uma opinião pública com o sentimento de paternidade de um projeto nacional que absorva esses PAC (TOS), assumindo sua defesa. Não será conquistado burocraticamente e através de negociações parciais de gabinete, muito menos por ganhos de eficiência.

Não é possível falar de desafios ao governo sem mencionar os marcos jurídicos/burocráticos que tendem a esvaziar as possibilidades de avanços. Não há gestor público que se anime a inovar: os riscos pessoais são imensos, sem dizer na máquina que quer repetir o que sempre fez e através das denúncias estagna a administração. Os controles impedem o funcionamento.

Nesse sentido urge um projeto cultural bem diverso daquele que se instaura apenas na organização do setor cultural e classe artística em função de suas demandas, com submissão de projetos. Além dos editais temáticos, há que se criar estímulos para produção em massa de qualidade de instrumentos de reflexão sobre o papel de cada um na história brasileira, nos destinos do país de seus filhos.

Mas temos que ir mais longe, sempre há uma tendência de quem está no governo a exagerar seus acertos. Por mais que o Brasil tenha avançado econômica e socialmente há uma realidade a se debruçar bastante desconfortável: assim como somos o 10º país do mundo em termos de concentração de renda, temos a 5ª pior posição na América Latina em relação aos indicadores de saúde.

Ora, levar adiante um projeto que não rompe nos setores sociais com a mercantilização, que não cria barreiras para a importação desenfreada e financia as grandes empresas estrangeiras não melhorará nossa posição no ranking relacionado a qualquer aspecto do desenvolvimento social.

ROBERTO AMARAL — Qualquer prospecção política que vise a um horizonte de dez anos é exercício de pura e ingênua adivinhação. Comecemos pela segunda parte da pergunta. Se os dados de hoje puderem constituir referência para uma futurologia sujeita a chuvas e trovoadas, podemos dizer que a pauta da sociedade é, num aparente paradoxo, conservadora e inovadora. Primeiro porque não quer ver ameaçados os avanços dos últimos dez anos, segundo porque deseja avançar, no plano econômico, no plano político e no plano social. Penso que a sociedade espera estar vivendo em 2023 em um país mais rico, em uma sociedade menos injusta, com menos desigualdade social, ou seja, uma sociedade que não mais abrirá mão da produção de riqueza e de sua distribuição, uma sociedade estável politicamente, vivendo em paz e progredindo. Talvez, até, um pouco mais conservadora, e, sem sombra de dúvida, com a ajuda da atual esquerda brasileira, conciliadora.

Penso que os principais desafios dos próximos governos — e apenas na hipótese pela qual torço, de serem eles governos à esquerda — serão os de manter as conquistas de hoje e ao mesmo tempo, institucionalizar nossos e novos projetos, avançar nas reformas estruturais, como uma reforma tributária que vire de cabeça para baixo o atual sistema tributário, que privilegia os ricos e penaliza os pobres, favorece o rentismo e desestimula a produção; realizar uma reforma educacional que aperfeiçoe a graduação e ao mesmo tempo universalize o ensino público, a reforma bancária (caminhando para o fortalecimento dos bancos públicos), o desenvolvimento tecnológico estratégico e a reforma do Estado, nela incluída a reforma política. Ou seja, espero, apenas, que os próximos governos continuem a ser reformistas.

8) Qual quesito econômico (crescimento, inflação, desemprego, salários...) poderá influenciar de forma mais direta as eleições presidenciais de 2014?

RENATO RABELO — O baixo crescimento econômico já é tema de campanha da oposição. O mesmo se dá com o problema da inflação, que a nosso ver deve ser visto como um fenômeno cíclico e não uma anomalia do sistema. Por outro lado, a garantia da manutenção do atual índice de desemprego demanda mais crescimento econômico e estancamento da possibilidade de alta da taxa de juros. Enfim, do ponto de vista eleitoral, devemos ter um olhar de conjunto: não dá para acreditar que teremos bônus políticos tentando combater a inflação de uma maneira que dificulte ainda mais as coisas no âmbito do crescimento econômico.

JULIANA BRIZOLA — Se restrito a esses quatro é uma questão de ordenamento, que não parece interessante, pois se interligam. Enfim, emprego e renda são cruciais para as famílias. Mas a vida urbana e suburbana das grandes cidades brasileiras exige mais atenção. A questão dos transportes de massa e a da habitação são importantes no debate eleitoral. E a saúde e educação estarão presentes nesse debate.

ROBERTO AMARAL — Qualquer aumento do desemprego que, a despeito de indicadores negativos da economia (como os tropeços da balança comercial, a paquidérmica recuperação da economia, a ausência de investimentos privados), continua em torno de 5%, índice notável mesmo se não considerarmos os indicadores médios europeus (12%,) sendo 26,3% na Espanha (dados do *Dow Jones*). A inflação está em queda este ano, à exceção do soluço de abril, e sua tendência é cedente. Nada no horizonte sugere uma queda no valor dos salários; pelo contrário, o baixo desemprego e o crescimento do setor de serviços e mesmo da indústria indicam o aumenta da demanda por mão de obra, o que, porém, assusta aos monetaristas, para os quais todo crescimento brasileiro é inflacionário (o Brasil, para eles, é o único pais do mundo que não pode crescer mais de 3% a.a.). Para esses 'economistas do mercado' o aumento de juros é a mezinha receitada para todos os males da economia, do Brasil e do mundo, de ontem, de hoje e de amanhã.

O governo Dilma terá de enfrentar, mesmo considerando o ano eleitoral, dois desafios. No plano político, a reestruturação de sua base de apoio; no plano econômico, o combate à inflação (sem prejuízo do crescimento), a recuperação da indústria e a administração da dívida pública.

9) O que pode ser feito para que o desenvolvimento econômico em curso seja acelerado?

RENATO RABELO — É urgente, neste sentido, que o nosso país precisa rever sua política cambial que vem punindo a produção nacional em detrimento de importações predatórias. O déficit comercial acumulado nos últimos meses por si já diz muito do que deve ser revisto. A atual política cambial serve como uma espécie de *dumping* sobre o nosso parque produtivo que, ao final, é patrocinado pelo próprio Estado que se utiliza da taxa de câmbio no combate à inflação também. Porém, a questão cambial e a macroeconomia em particular não se mudam sem conjugar alterações em outras esferas que vão desde o enfrentamento do monopólio da mídia (capaz de desanimar qualquer empresário no rumo de investimentos) até a própria mentalidade incrustada no seio do governo e do Estado que privilegia o curto prazo em detrimento de uma visão de longo prazo.

JULIANA BRIZOLA — Cremos que no item do que se espera para os próximos dez anos demos conta dessa pergunta: projeto de desenvolvimento industrial soberano. Na infraestrutura, o governo tem concentrado esforços na área energética, mas nossas deficiências no transporte de carga, na armazenagem, na logística de modo geral, precisa ser acelerada. Há também ainda questões do desenvolvimento que devem ser tratadas de modo integrado com o setor dito social. Para que o trabalho seja saudável — afinal, estima-se que 55 bilhões são as despesas diretas anuais do governo com a acidentalidade no trabalho — é necessário estimular a obtenção de competitividade através da inovação de processos e medidas voltados para a segurança no trabalho, por exemplo. Seria o que chamamos de desenvolvimento econômico e social a um só tempo. E não cuidar de ambos paralelamente no mesmo tempo, o que, de qualquer modo, no caso brasileiro, já foi um progresso.

ROBERTO AMARAL — No curto prazo, nada ou quase nada. O governo conteve o viés da alta dos juros (apesar do chororô da imprensa goebeliana e dos economistas 'midiáticos'), estimulou o crédito ao consumidor, conteve a valorização do real e ainda fortaleceu o papel desenvolvimentista do BNDES. Mas os efeitos não foram os esperados, e o tal mercado não reagiu. Talvez ainda seja possível aumentar as compras públicas. Mas a recuperação da infraestrutura de transportes no seu sentido mais lato (incluindo logística) cobra anos, como a expansão de nosso parque energético, o aumento da produtividade e da produção de manufaturas competitivas; por fim, o avanço em ciência, tecnologia e inovação. Nada disso — e tudo exige maturação de investimentos — é factível sem produção de riqueza, que é o principal objetivo do desenvolvimento. Precisamos de uma década de crescimento contínuo acima de 3%. Uma coisa, porém, é certa: nada disso que parece um sonho será factível no médio e no longo prazos se não conseguirmos revolver a estrutura do Estado herdado do neoliberalismo, e até aqui intocado.

10) O que deve ser feito para que nosso processo político-eleitoral seja aperfeiçoado?

RENATO RABELO — Defendemos uma reforma política que democratize o processo eleitoral e não restrinja a liberdade partidária consagrada na Constituição de 1988. Setores conservadores das classes dominantes trabalham sistematicamente para desacreditar a política, os políticos e especialmente os partidos progressistas mais avançados diante do povo. Por isso, o Brasil precisa de um sistema que valorize os programas e os partidos políticos, adotando a eleição de parlamentares através de listas partidárias com financiamento público exclusivo de campanhas eleitorais. É preciso igualmente a manutenção do direito dos partidos estabelecerem coligações de acordo com seus programas, tanto na esfera majoritária (que ninguém é contra) quanto no plano proporcional.

JULIANA BRIZOLA — O PDT tem se distinguido na luta pela adoção da apuração eletrônica verdadeiramente segura. A nossa não é. A Venezuela adotou o sistema proposto: além de digitado, o voto impresso é depositado numa urna. Sempre haverá possibilidade de conferir os resultados. Mas essa não é a única questão. Precisamos reduzir drasticamente o poder econômico nas eleições. Apoiamos o financiamento público estrito das campanhas e o voto misto, distrital e proporcional em listas partidárias, desde que o ordenamento das listas seja votado democraticamente dentro dos partidos. Os partidos de qualquer modo precisam de uma lei orgânica nova: eles mais se assemelham a ONGs, recebendo dinheiro público. Partidos sem organização democrática não podem governar democraticamente.

ROBERTO AMARAL — Uma reforma política (política e não apenas eleitoral) profunda, apoiada em referendo. A reforma eleitoral mínima compreende um novo Código Eleitoral, a introdução do voto de legenda e o financiamento público, exclusivo, das campanhas. A reforma política, sem a qual aquela não terá valia, exige a reforma democratizante do Poder Judiciário, a reforma profunda do Congresso Nacional, de suas atribuições e funcionamento; exige a democratização dos meios de comunicação de massas através de um sistema de controle social não estatal. Compreende o pluralismo ideológico como fundamento do pluralismo partidário. Ou seja, esse 'aperfeiçoamento' depende do avanço democrático.

AGRADECIMENTOS

Primeiramente, gostaria de agradecer o apoio de Ernesto Salles, que preparou quase todas as tabelas, gráficos e séries estatísticas. Foi uma tarefa que demandou muito esforço. Ficou um excelente trabalho.

Gostaria de agradecer aos meus familiares pelo apoio. Não foi somente aquele apoio indispensável da companhia, do bate-papo agradável, dos sorrisos, dos almoços de finais de semana. O apoio familiar que tenho tido nos últimos anos vai além. Quando não posso, eles pegam a minha filha no colégio, levam ao curso de inglês, levam ao dentista etc. É com imenso prazer que escrevo o nome de cada um: Regina, Beto, Márcia, Tauzinho, Amália, Mary e Enéas. Não poderia esquecer das divertidas Natália, Letícia, Roberta e Fernanda. Sem esse apoio não teria tido a necessária tranquilidade para escrever este livro.

Aproveito também para agradecer a amizade dos novos amigos Thiago, Thaissa e dona Wanda, que harmonizaram um novo ambiente para a família Sicsú.

Sem comprometer com o conteúdo do livro, agradeço a leitura e comentários do meu amigo Carlos Vidotto.

O Autor

SOBRE O AUTOR

João Sicsú cursou graduação em economia na antiga FEA/UFRJ. Concluiu o doutorado, em 1997, na mesma instituição, já reorganizada na forma do Instituto de Economia da Universidade Federal do Rio de Janeiro.

Foi membro do Comitê de Economia da Capes para avaliação dos centros de pós-graduação de 2003 a 2005. Foi presidente da comissão julgadora do 27º Prêmio BNDES de tese de mestrado em 2004/2005 e membro desta mesma comissão no 26º Prêmio em 2003/2004. Foi pesquisador nível 1 do CNPq de 1999 a 2007, quando por motivos profissionais suspendeu tal atividade. Foi diretor de Estudos e Políticas Macroeconômicas do IPEA de 2007 a 2011.

É autor, coautor e coorganizador de inúmeros livros na área da economia: *Emprego, Juros e Câmbio: finanças globais e desemprego* (Campus-Elsevier, 2007), *Economia*

Monetária e Financeira: teoria e política (Campus-Elsevier, 1ª edição de 2000, 2ª edição de 2007 – 13ª tiragem), *Planejamento e Desenvolvimento* (Ipea e ABDE editorial, 2010), *Crescimento Econômico: estratégias e instituições* (Ipea, 2009), *Sociedade e Economia: estratégias de crescimento e desenvolvimento* (Ipea, 2009), *Economia do Desenvolvimento: teoria e políticas keynesianas* (Campus-Elsevier, 2008), *Arrecadação — de onde vem? e Gastos Públicos — para onde vão?* (Boitempo Editorial, 2007), *Câmbio e Controles de Capitais* (Campus-Elsevier, 2006), *Novo-desenvolvimentismo* (Editora Manole, 2005), entre outros.

Além de livros, já publicou inúmeros artigos científicos em revistas acadêmicas nacionais e estrangeiras. Contribuiu também com capítulos em inúmeras coletâneas no Brasil e no exterior. É membro do Conselho Editorial da *Revista de Economia Política.*

Tem contribuído com entidades e partidos políticos progressistas e de esquerda fazendo palestras, concedendo entrevistas e escrevendo artigos. Atualmente é professor do IE/UFRJ.

GRÁFICA PAYM
Tel. (11) 4392-3344
paym@terra.com.br